The Acoustic Guitar Chord Songbook
Female

This publication is not authorised for sale in the
United States of America and/or Canada.

Wise Publications
part of The Music Sales Group

London/New York/Sydney/Paris/Copenhagen/Berlin/Madrid/Tokyo

Published by:
Wise Publications
8/9 Frith Street, London W1D 3JB, England.

Exclusive distributors:
Music Sales Limited
Distribution Centre, Newmarket Road,
Bury St. Edmunds Suffolk IP33 3YB, England.
Music Sales Pty Limited
120 Rothschild Avenue, Rosebery, NSW 2018, Australia.

Order No. AM975315
ISBN 0-7119-9648-2
This book © Copyright 2003 by Wise Publications.

Compiled by Nick Crispin.
Arranger Frank Moon & Jason Broadbent.
Engraver Andrew Shiels.
Cover design by Chloë Alexander.
Cover photograph courtesy of Retna.

Printed in the United Kingdom by
Caligraving Limited, Thetford, Norfolk.

Your Guarantee of Quality:

As publishers, we strive to produce every book
to the highest commercial standards.

The book has been carefully designed to minimise awkward
page turns and to make playing from it a real pleasure.

Particular care has been given to specifying
acid-free, neutral-sized paper made from pulps which
have not been elemental chlorine bleached.

This pulp is from farmed sustainable forests and
was produced with special regard for the environment.

Throughout, the printing and binding have been
planned to ensure a sturdy, attractive publication
which should give years of enjoyment.

If your copy fails to meet our high standards,
please inform us and we will gladly replace it.

www.musicsales.com

Adia

Words & Music by
Sarah McLachlan & Pierre Marchand

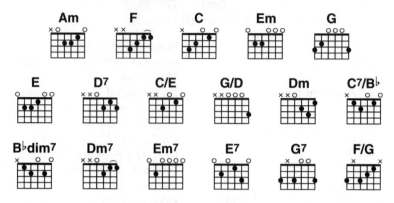

Capo third fret

Verse 1

$\quad$ Am $\qquad$ F $\qquad\qquad$ C
$\quad$ Adia I do believe I failed you

$\quad$ Am $\qquad$ F $\qquad\qquad\qquad$ Em $\quad$ G
$\quad$ Adia I know I've let you down.

$\quad$ C $\qquad\qquad\qquad\qquad$ F
$\quad$ Don't you know I tried so hard

$\qquad$ C $\qquad\qquad$ E $\qquad$ Am
$\quad$ To love you in my way

$\qquad$ D7 $\qquad\qquad$ C $\qquad$ G
$\quad$ It's easy, let it go...

Verse 2

$\quad$ Am $\qquad$ F $\qquad\qquad\qquad$ C
$\quad$ Adia I'm empty since you left me,

$\quad$ Am $\qquad\qquad\qquad$ F $\qquad\qquad$ Em $\quad$ G
$\quad$ Trying to find a way to carry on

$\quad$ C $\qquad\qquad\qquad\qquad$ F
$\quad$ I search myself and everyone

$\qquad$ C/E $\qquad\qquad\qquad$ G/D
$\quad$ To see where we went wrong

Pre-chorus 1

$\qquad\qquad$ Dm $\qquad\qquad$ G
There's no-one left to finger,

$\qquad\qquad$ C $\qquad\qquad\qquad$ F
There's no-one here to blame

$\qquad\qquad$ Dm $\qquad\qquad$ G
There's no-one left to talk to honey,

$\qquad\qquad$ C $\qquad\qquad$ C7/B♭ $\qquad$ F
And there ain't no-one to buy our innocence.

Chorus 1

     G   C   B♭dim7
'Cause we are born innocent,

            F   Dm7   G   Em7
Believe me Adia, we are still innocent.

     B♭dim7   Dm7
It's easy, we all falter,

        E7
Does it matter?

Verse 3

     Am   F   C
   Adia I thought that we could make it

     Am   F   Em   G
   I know I can't change the way you feel.

C   F
I leave you with your misery

   C/E   G/D
A friend who won't betray.

Pre-chorus 2

     Dm   G
I pull you from your tower

     C   F
I take away your pain,

     Dm   G   C
And show you all the beauty you possess

         C7/B♭   F
If you'd only let yourself believe that,

Chorus 2

     G   C   B♭dim7
We are born innocent,

            F   Dm7   G   Em7
Believe me Adia, we are still innocent,

     B♭dim7   Dm7
It's easy, we all falter

        E7
Does it matter?

Instrumental | D7 | C | G | Am D7 | G | G7 |

Chorus 3

      C   B♭dim7
'Cause we are born innocent,

      F   Dm7 G Em7
Believe me Adia, we are still innocent.

  B♭dim7   Dm7
It's easy, we all falter . . .

           F/G G
But does it matter?

Outro

      C   Em   F
Believe me Adia, we are still innocent.

Dm7 G   C   B♭dim7
 'Cause we are born innocent,

      F   Dm7 G Em7
Believe me Adia, we are still innocent.

  B♭dim7   Dm7
It's easy, we all falter . . .

        G E7
But does it matter?

Anchorage

Words & Music by
Michelle Johnston

G   Dadd⁹/F♯   C   D   G/B   Am⁷   D/F♯

Intro ‖: G   Dadd⁹/F♯ | C   D | G   Dadd⁹/F♯ | C   D :‖

Verse 1
G   Dadd⁹/F♯   C   D
I took time out to write to my old friend,
G   Dadd⁹/F♯ C   D
  I walked across that burning bridge
G   Dadd⁹/F♯   C   D
  Mailed my letter off to Dallas
     G   Dadd⁹/F♯   C   D
But her reply came from   Anchorage,
  G Dadd⁹/F♯   C   D
Alaska,   she said:

Verse 2
G   Dadd⁹/F♯   C   D
  Hey girl,   it's about time you wrote,
     G   Dadd⁹/F♯   C   D
It's been over two years you know, my old friend
    G   Dadd⁹/F♯   C   D
Take me back to the days of the foreign telegrams
    G   Dadd⁹/F♯   C   D
And the all-night rock 'n' rollin'   hey 'Chel,
    G   Dadd⁹/F♯   C   D
We was wild then.

Verse 3
G   Dadd⁹/F♯   C   D
  Hey 'Chel, you know it's kinda funny
G   Dadd⁹/F♯ C   D
  Texas always   seems so big
     G   Dadd⁹/F♯ C   D
But you know you're in the largest   state in the Union,
     G   Dadd⁹/F♯ C   D
When you're   anchored down in   Anchorage.

Verse 4

```
G              Dadd9/F♯         C              D
   Hey girl,        I think the last time I saw you
    G              Dadd9/F♯         C    D
Was on me and Leroy's wedding day.
    G         Dadd9/F♯     C          D              G
   What was the    name of that love song you played?
Dadd9/F♯    C    D          G
          I forgot how it goes,
Dadd9/F♯    C              D            G     Dadd9/F♯  C    D
          I don't recall how it goes.
```

Instrumental

```
|C      G/B    |Am7    D/F♯    |C      G/B    |Am7    D/F♯    |

|C      G/B    |Am7    D/F♯    |G    Dadd9/F♯  |C      D       ‖
```

Chorus 1

```
G              Dadd9/F♯    C    D
Anchorage.                   Anchored down in
G              Dadd9/F♯    C    D
Anchorage.
```

Verse 5

```
G              Dadd9/F♯  C              D
Leroy got a better job, so we moved.
G              Dadd9/F♯         C              D
Kevin lost a tooth, now he's started school,
        G              Dadd9/F♯         C      D
I got a brand new eight month old baby girl.
G          Dadd9/F♯      C    D
   I sound like a   house-wife,    hey 'Chel,
G          Dadd9/F♯      C    D
   I think I'm a    house-wife.
```

Verse 6

```
G    Dadd9/F♯        C              D
   Hey girl, what's it like to be in New York?
G              Dadd9/F♯      C          D
   New York City,      im - agine that!
        G              Dadd9/F♯          C              D
Tell me,    what's it like to be a skateboard punk rocker?
G          Dadd9/F♯      C          D
   Leroy says, "Send a picture"
G          Dadd9/F♯  C    D
   Leroy says,       "Hello",
G          Dadd9/F♯  C    D        G              Dadd9/F♯
   Leroy says,        "Aw, keep on rocking girl!"
C      D          G        Dadd9/F♯    C    D
   Yeah,    keep on rocking.
```

Verse 7

       G   Dadd9/F♯   C   D
       Hey 'Chel, you know it's kinda funny

G   Dadd9/F♯   C   D
Texas always seems so big

          G   Dadd9/F♯   C
But you know you're in the largest state in the Union,

D   G   Dadd9/F♯   C   D
When you're anchored down in Anchorage.

     G   Dadd9/F♯   C D
Oh Anchorage,   anchored down in

G   Dadd9/F♯   C   D
Anchorage,

     G   Dadd9/F♯   C   D
Oh Anchorage.

Outro | G   Dadd9/F♯ | C   D | G   Dadd9/F♯ | C   D | G ||

Anticipation

Words & Music by
Carly Simon

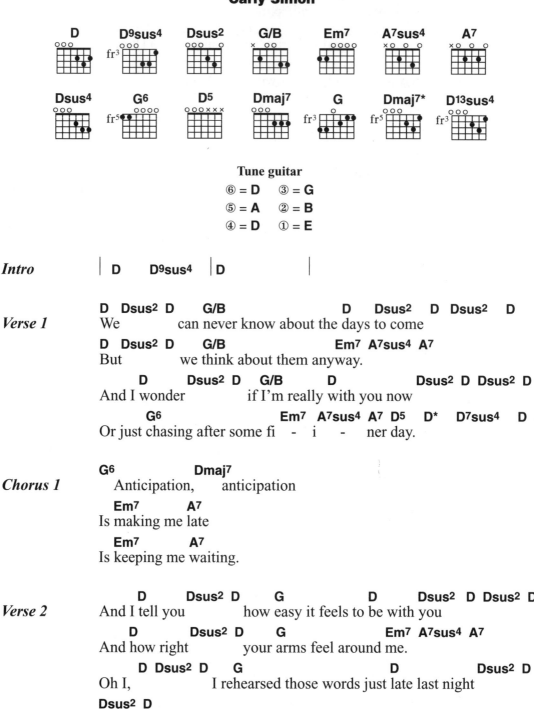

Tune guitar

⑥ = D   ③ = G
⑤ = A   ② = B
④ = D   ① = E

Intro

| D   D⁹sus⁴ | D |

Verse 1

D Dsus² D   G/B   D   Dsus²   D Dsus²   D
We   can never know about the days to come

D Dsus² D   G/B   Em⁷ A⁷sus⁴ A⁷
But   we think about them anyway.

     D   Dsus² D G/B   D   Dsus² D Dsus² D
And I wonder   if I'm really with you now

    G⁶   Em⁷ A⁷sus⁴ A⁷ D⁵   D*   D⁷sus⁴   D
Or just chasing after some fi - i - ner day.

Chorus 1

G⁶   Dmaj⁷
Anticipation,   anticipation

Em⁷   A⁷
Is making me late

Em⁷   A⁷
Is keeping me waiting.

Verse 2

     D   Dsus² D   G   D   Dsus² D Dsus² D
And I tell you   how easy it feels to be with you

     D   Dsus² D   G   Em⁷ A⁷sus⁴ A⁷
And how right   your arms feel around me.

     D Dsus² D   G   D   Dsus² D
Oh I,   I rehearsed those words just late last night

Dsus² D

     G⁶   Em⁷ A⁷   D⁵ D D⁷sus⁴   D
When I was thinking how right tonight might be.

Chorus 2

G6   Dmaj7
Anticipation,   anticipation

Em7   A7
Is making me late

Em7   A7
Is keeping me waiting.

Verse 3

      D   Dsus2 D   G   D   Dsus2 D Dsus2 D
And tomorrow,   we might not be together

      D   Dsus2 D   G   Em7   A7sus4 A7
I'm no prophet,   Lord I don't know natures wa - a - ys

    D Dsus2 D   G   D   Dsus2 D Dsus2 D
So I'll try   to see into your eyes right now

  G6   Em7   A7   D
And stay right here, 'cause these are the good old days.

Dmaj7* D13sus4 D
These   are the   good old days.

Coda

  G6   Em7   A7   D
And stay right here, 'cause these are the good old days.

Dmaj7* D13sus4 D
These   are the   good old days.

Dmaj7* D13sus4 D
These   are the   good old days.

Dmaj7* D13sus4 D
These   are the   good old days.

Dmaj7* D13sus4 D   D13sus4 D
These   are........ the good old days.

11

Baby, Now That I've Found You

Words & Music by
Tony Macauley & John MacLeod

Dsus2 Cadd9 G6/B Bb6(#11) E7 D5/G

Asus2 G* A* Em7 Gsus2 B

F#m Bb5 Em Em9 D5 G

Capo first fret

Intro

| Dsus2 | Cadd9 | G6/B | Bb6(#11) Dsus2 | E7 | D5/G | Asus2 |

Verse 1

Dsus2 Cadd9
Baby, now that I've found you

  G6/B
I won't let you go

  Bb6(#11)
I built my world around you

 Dsus2
I need you so,

  E7
Baby even though

  D5/G   Asus2
You don't need me now.

Dsus2 Cadd9
Baby, now that I've found you

  G6/B
I won't let you go

  Bb6(#11)
I built my world around you

 Dsus2
I need you so,

  E7
Baby even though

  D5/G
You don't need me,

cont.

            Asus² | **Dsus²** |
You don't need me, no, no.

| **Cadd⁹**   **G*** **A*** |**Dsus²** |**Cadd⁹**   **G*** **A*** |

Verse 2

Dsus²   **Em⁷**
  Baby, baby, when first we met

 Gsus²   **Asus²**
I knew in this heart of mine,

Dsus²   **Em⁷**
  That you were someone I couldn't forget

        Gsus²   **Asus²**
I said right, and abide my time.

B
   Spent my life looking

F♯m
For that somebody

B   **F♯m**   **B**   **B♭5**
  To make me feel like new

Asus²   **Em**
  Now you tell me that you wanna leave me

G   **Asus²**   **Dsus² Cadd⁹ G6/B B♭6(♯11)**
  But darling, I just can't let you,   ooh.

                                        x2

Instrumental ‖: **Dsus²** |**Cadd⁹** |**G6/B** |**B♭6(♯11)**|**Dsus²** |**E⁷** |**D5/G** |**Asus²** :‖

Verse 3

Dsus²   **Em⁷**
  Baby, baby, when first we met

 Gsus²   **Asus²**
I knew in this heart of mine

Dsus²   **Em⁷**
  That you were someone I couldn't forget

        Gsus²   **Asus²**
I said right, and abide my time.

B
   Spent my life looking

F♯m
For that somebody

B   **F♯m**   **B**   **B♭5**
  To make me feel like new

Asus²   **Em⁹**
  Now you tell me that you wanna leave me

G   **Asus²**   **Dsus² Cadd⁹ G6/B B♭6(♯11)**
  But darling, I just can't let you. _____

Verse 4

Dsus2 Cadd9
        Now that I found you
G6/B   B♭6(♯11)
  I built my world around you
  Dsus2   E7   D5/G   Asus2
I need you so, baby even though you don't need me now.
Dsus2 Cadd9
Baby, now that I've found you
      G6/B
I won't let you go
      B♭6(♯11)
I built my world around you
Dsus2
I need you so,
    E7
Baby even though,
     D5/G
You don't need me
    Asus2 | Dsus2 |Cadd9   G* A* |
You don't need me, no, no.

Outro   ‖: Dsus2 |Cadd9   G* A* :‖ D5   ‖

Back Of My Hand

Words & Music by
Gemma Hayes

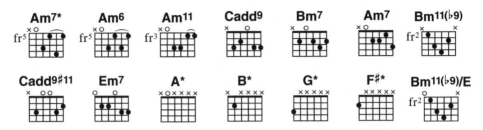

Capo second fret, tune guitar slightly flat.

Intro | Am⁷* | Am⁷* Am⁶ | Am¹¹ | Am¹¹ | Cadd⁹ | Bm⁷ |

Verse 1
             Am⁷
Oh I'll be seeing you tomorrow
          Cadd⁹   **Bm⁷**
I'll be seeing you again,
            Am⁷
God knows we've said so little
          Cadd⁹   **Bm⁷**
I'll go so far as to call you a friend.
            Am⁷
But there's something in your ways
             Cadd⁹   **Bm⁷**
That keeps me vying for a connection,
            Am⁷
And I know you feel the same
              Cadd⁹   **Bm⁷**
It's become a, a two-way addiction.

Chorus 1
            Am⁷
Come on and give me your heart
            Bm¹¹(♭9)
Write it on the back of my hand,
        Cadd⁹   **Cadd⁹♯11** | **Cadd⁹** | **Cadd⁹♯11** |
And say it's forever.

Guitar solo 1 | Am⁷ | Am⁷ | Cadd⁹ | Bm⁷ | Am⁷ | Am⁷ | Cadd⁹ | Bm⁷ |

                  Am⁷
Verse 2   Well we never really said goodbye
          Cadd⁹   **Bm⁷**
       Kinda   left it in the air,
            Am⁷   **Cadd⁹** **Bm⁷**
       And as the train pulled off I knew you loved her more.
             Am⁷
       Oh, no, no, no, no
           Cadd⁹   **Bm⁷**
       I am not afraid to lose,
             Am⁷
       Oh, no, no, no ———
                 Cadd⁹   **Bm⁷**
       Just give me some time and I'll walk to a different groove.

                 Am⁷
Chorus 2   Go on and give her your heart
             Bm¹¹(♭9)
       Write it on the back of her hand
         Cadd⁹   **Cadd⁹♯11** | **Cadd⁹** | **Cadd⁹♯11** |
       And say it's forever.
              Am⁷
       Go on now and give her your heart
             Bm¹¹(♭9)
       Write it on the back of her hand
         Cadd⁹   **Cadd⁹♯11**   **Cadd⁹**   **Cadd⁹♯11**
       And say   it's   forever. ——————

Guitar solo 2 | Am⁷ | Am⁷ | Cadd⁹ | Bm⁷ | |

         N.C. **(A*)**   **(B*)**   **(G*)**   **(F♯*)**
Bridge   That's alright, that's ok, the thoughts of you are leaving
           (A*)   **(B*)**   **(G*)**   **(F♯*)**
       That's alright, that's ok, the thoughts of you are leaving
         Am⁷ **Bm¹¹(♭9)**   **Cadd⁹** | **Cadd⁹♯11** | **Em⁷** | **Bm⁷** |
       Anyway,   are fading away.

Chorus 3

          Am⁷
Come on and give her your heart

        Bm¹¹(♭9)
Write it on the back of her hand

    Cadd⁹ Cadd⁹♯11   **Cadd⁹ Cadd⁹♯11 | Am⁷** |
And   say it's for   -   ev   -   er.

Link | **Am⁷** | **Bm¹¹(♭9)** | **Bm¹¹(♭9)** |

Outro

          Am⁷   **Bm¹¹(♭9)/E**
Come on and give me your heart,

          Am⁷   **Bm¹¹(♭9)**
Come on and give me your heart,

          Am⁷
Come on and give me your heart.   *to fade*

Carey

Words & Music by
Joni Mitchell

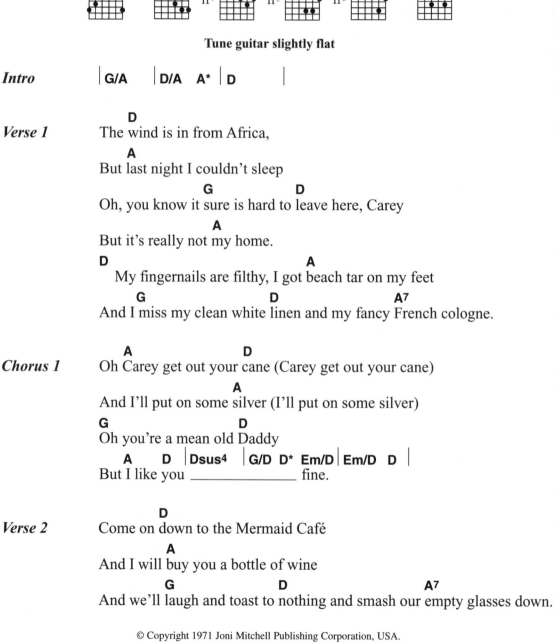

Tune guitar slightly flat

Intro
| G/A | D/A A* | D |

Verse 1

       D
The wind is in from Africa,
    A
But last night I couldn't sleep
             G   **D**
Oh, you know it sure is hard to leave here, Carey
                A
But it's really not my home.
D   **A**
   My fingernails are filthy, I got beach tar on my feet
      G   **D**   **A7**
And I miss my clean white linen and my fancy French cologne.

Chorus 1

     A   **D**
Oh Carey get out your cane (Carey get out your cane)
            A
And I'll put on some silver (I'll put on some silver)
G   **D**
Oh you're a mean old Daddy
     A   **D** | Dsus4 | G/D D* Em/D | Em/D D |
But I like you _____ fine.

Verse 2

        D
Come on down to the Mermaid Café
      A
And I will buy you a bottle of wine
          G   **D**   **A7**
And we'll laugh and toast to nothing and smash our empty glasses down.

cont.

               D
Let's have a round for these freaks and these soldiers
       A
A round for these friends of mine
            G   **D**
Let's have another round for the bright red devil
          A⁷
Who keeps me in this tourist town.

Chorus 2

         A   **D**
Come on Carey get out your cane (Carey get out your cane)
         A
I'll put on some silver (I'll put on some silver)
G   **D**
Oh you're a mean old Daddy
     A   **D**   **Dsus4**   **D* Em/D D**
But I like you, I like you, I like you, I like you.

Verse 3

D
Maybe I'll go to Amsterdam
     A
Or maybe I'll go to Rome
      G   **D**
And rent me a grand piano
           A
And put some flowers 'round my room.
    D
But let's not talk about fare-thee-wells now
    A
The night is a starry dome,
         G   **D**
And they're playin' that scratchy rock 'n' roll
      A⁷
Beneath the Matalla Moon.

Chorus 3

        A   **D**
Come on Carey get out your cane (Carey get out your cane)
             A   **G**
And I'll put on some silver (I'll put on some silver)
             D
Oh you're a mean old Daddy
     A   **D** |**Dsus4** |**G/D D* Em/D**|**Em/D D** |
But I like you. _____

Verse 4

        D
The wind is in from Africa

      A
But last night I couldn't sleep,

             G   D
Oh you know it sure is hard to leave here

          A
But it's really not my home.

D
Maybe it's been too long a time

            A
Since I was scrambling down in the street

             G   D
Now they got me used to that clean white linen

          A7
And that fancy French cologne.

Chorus 4

        A   D
Oh Carey get out your cane (Carey get out your cane)

           A
I'll put on my finest silver (I'll put on my finest silver)

    G   D
We'll go to the Mermaid Café

     A   D
Have fun tonight.

      G   D
I said, oh you're a mean old Daddy

     A   D |Dsus4 |G/D D* Em/D|Em/D D ‖
But you're out of sight.

Chuck E's In Love

Words & Music by
Rickie Lee Jones

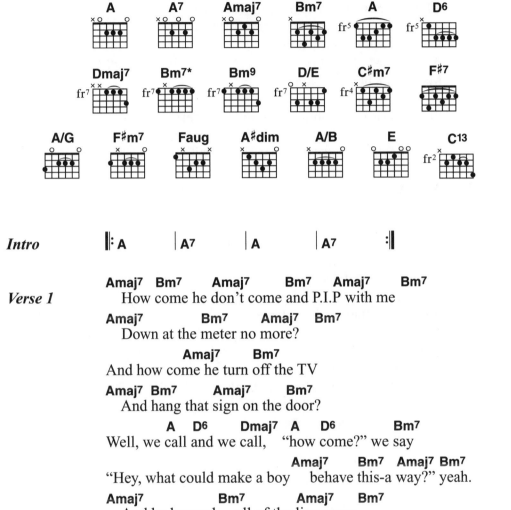

Intro   ‖: A | A7 | A | A7 :‖

Verse 1

Amaj7 Bm7   Amaj7   Bm7   Amaj7   Bm7
How come he don't come and P.I.P with me

Amaj7   Bm7   Amaj7 Bm7
Down at the meter no more?

            Amaj7   Bm7
And how come he turn off the TV

Amaj7 Bm7   Amaj7   Bm7
And hang that sign on the door?

         A   D6   Dmaj7 A   D6   Bm7
Well, we call and we call,   "how come?" we say

                      Amaj7   Bm7 Amaj7 Bm7
"Hey, what could make a boy   behave this-a way?" yeah.

Amaj7   Bm7   Amaj7   Bm7
And he learned   all of the lines now

         Amaj7 Bm7   A   Bm7* Bm9
And every time   he don't s - s - stutter when he talks

Amaj7   Bm7 Amaj7   Bm7   Amaj7
And it's true! It's true!   He sure has acquired this kinda

Bm7   Amaj7   Bm7
Cool and inspired sort-a jazz   when he walks.

A   D6   A   D6 Bm7
Where's his jacket and his old blue jeans?

                              D/E
If this ain't healthy it is some kinda clean? I think that

Chorus 1

A   Bm7*   Bm9 Bm7* D/E
   Chuck E's in love,

A   Bm7*   Bm9 Bm7* D/E
Chuck E's in love,

A   Bm7*   Bm9 Bm7* D/E
Chuck E's in love,

A   Bm7* Dmaj7
Chuck E's in love.

                               C#m7

Bridge 1   I don't believe what you're saying to me

                 F#13
    This is something I've got to see

      A   A/G   F#m   Faug
Is he here?   I look in on the pool hall

         A   A/G   F#m   Faug
Well, is he here?   I look in the drugstore

     A   A#dim   A/B   E
Is he here? "No, he don't come here no more."

Verse 2   Amaj7   Bm7   Amaj7 Bm7
          Well I'll tell you what,   I saw him

Amaj7   Bm7   Amaj7   Bm7
   He was sittin'   behind us down at the Pantages

Amaj7 Bm7 Amaj7   Bm7   Amaj7   Bm7
And whatever is   that he's got up his   sleeve

           Amaj7   Bm7
Well I hope it isn't contagious.

A   D6 Dmaj7 A   D6
   What's her name?   Is that her there?

A   D6   Dmaj7 A   D6
   Oh, Christ I think he's even   combed his hair!

A   D6   Dmaj7 A   D6
   And is that her?   Well then, what's her name?

A   D6   Dmaj7 A   D6
   Oh, it's never gonna be the same.

A   D6 A   D6
   That's not her, I know what's wrong,

Bm7   D/E
   'Cause Chuck E's in love with the little girl who's singing this song!

And don't you know

22

| | A   Bm7* | Bm9 Bm7* D/E |
| *Chorus 2* | Chuck E's in love, |

A   Bm7*   Bm9 Bm7* D/E
Chuck E's in love,

A   Bm7*   Bm9 Bm7* D/E
Chuck E's in love,

A   Bm7*   Bm9 Bm7* D/E A   Bm7* D/E
Chuck E's in,   Chuck E's in love,

                  A Bm7* D/E   A
Chuck E's in love, he's in lo-o-ove   with me.

Outro | A | A7 | A | A7 | A | A7 | A | C13 | A   ‖

Circle

Words & Music by
Edie Brickell, Kenneth Withrow, John Houser,
John Bush & Brandon Aly

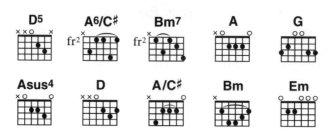

Intro ‖: D5 A6/C♯ | Bm7 A | G | Asus4 A :‖

Verse 1

    D A/C♯   Bm   A
Me,   I'm a part of your circle of friends

       D A/C♯   Bm   A
And we,   notice you don't come around.

D A/C♯   Bm   A
Me,   I think it all depends

       D A/C♯   Bm
On you,   touching ground with us.

Chorus 1

      A   D   A6/C♯
But, I quit, I give up,

         Bm7   A   G   Asus4 A
Nothing's good enough for anybody else, it seems,

       D   A6/C♯
And I quit, I give up,

         Bm7   A   G   Asus4 A
Nothing's good enough for anybody else, it seems, and

Bm   D
  And, being alone

      Em   G   Bm
Is the - is the best way to be.

         D
When I'm by myself it's the

Em   G   Bm
  Best way to be,

         D
When I'm all alone it's the

cont.

Em   G   Bm
Best way to be,

       D
When I'm by myself

Em   A
Nobody else can say good(bye.)

Link 1
 | D5   A/C♯ | Bm7   A | G | Asus4   A |
   bye.

Verse 2
          D   A/C♯   Bm
Everything is temporary   anyway,

A   D
   When the streets are wet -

A/C♯   Bm   A
   The colours slip into the sky.

     D   A/C♯   Bm
But I don't know why, that means you and I are

         A
That means you and I...

Chorus 2
     D   A6/C♯
I quit, I give up,

       Bm   A   G   Asus4   A
Nothing's good enough for anybody else, it seems,   yeah,

     D   A6/C♯
I quit, I give up,

       Bm   A   G   Asus4   A
Nothing's good enough for anybody else, it seems,   and,

Bm   D
   And, being alone

      Em   G   Bm
Is the,   is the best way to be.

          D
When I'm by myself it's the

Em   G   Bm
   Best way to be

          D
When I'm all alone it's the

Em   G   Bm
   Best way to be,

          D
When I'm by myself

          Em   **A**
Nobody else can say . . .

Outro

    D **A/C♯**   **Bm7**   **A**
Me,   I'm a part of your circle of friends

      D **A/C♯**   **Bm7**
And we,   notice you don't come around . . .

‖ **D A/C♯ Bm A** | **G A D**   ‖
     Ha-la-la-la-la-la-la-la-la!

Come On Come On

Words & Music by
Mary-Chapin Carpenter

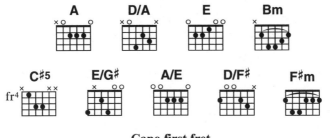

Capo first fret

Intro |A |A D/A A |E |E |

Verse 1
        A   **D/A**   **A E**
Some people remember the first time,

A   **D/A A E**
Some can't forget the last,

Bm   **C#5**   **E**   **E/G#**
Some just select what they want to from the past.

        A   **D/A**   **A**   **E**
It's a song that you danced to in high school,

        A   **D/A**   **A**   **E**
It's a moon you tried to bring down,

        Bm   **C#5**   **E**   **E/G# A/E E**
On a four-in-the-morning drive through the streets of town.

Chorus 1
D/A   **E**   **A/E**
Come on come on,   it's getting late now,

D/A   **E**   **A/E**
Come on come on,   take my hand,

D/A   **E**   **A/E**
Come on come on, you just have to whisper,

D/A   **E**   **A/E**
Come on come on, I will understand.

Link 1 |A/E |A/E |E |E |

Verse 2

A/E   E   A/E   E
It's a photograph taken in Paris, at the end of the honeymoon

Bm   C♯5   E
In 1948, late in the month of June.

A/E   E   A/E   E
Your parents smile for the camera in sienna shades of light

Bm   C♯5   E   A/E
Now you're older than they were then that summer night.

Chorus 2

D/A   E/G♯   A/E
Come on come on,   it's getting late now,

D/A   E/G♯   A
Come on come on,   take my hand,

D/A   E/G♯   A
Come on come on, you just have to whisper,

D/A   E   A/E
Come on come on, I will understand.

Bridge

D/F♯   F♯m
It's a need you never get used to, so fierce and so confused,

D/F♯   E   A
It's that loss you never get over the first time you lose.

Piano Solo

| D/A | E/G♯   A |

| D/A | E/G♯   A |

| D/A | E/G♯   A |

| D/A | E |

Verse 3

A/E   D/A   A/E   E   A/E   D/A   A/E   E
And tonight I am thinking of someone, seventeen years a - go,

Bm   C♯5   (D/A)
We rode in his daddy's car down the river (road).

Chorus 2

D/A   E/G♯   A/E
Come on come on,   it's getting late now,

D/A   E/G♯   A
Come on come on,   take my hand,

D/A   E/G♯   A
Come on come on, you just have to whisper,

D/A   E   A/E
Come on come on, I will understand.

cont.

    D/A   **E/G♯**   **A**   **A/E**
Come on come on,   it's getting late now,

    D/A   **E/G♯**   **A**
Come on come on,   take my hand,

    D/A   **E/G♯**   **A**   **A/E**
Come on come on, you just have to whisper,

    D/A   **E**   **A**
Come on come on.

Outro | **D/A** | **E/G♯**   **A** |

           | **D/A** | **E/G♯**   **F♯m** |

           | **D/F♯** | **E/G♯**   **A** |

           | **D/F♯** | **E**   **A**   ‖

C'mon Billy

**Words & Music by
P J Harvey**

Am   C   Dm   Em

Intro | Am   C | Am   C | Am   C | Am   C ‖

Verse 1

Am   C
  C'mon Billy,

Am   C
  Come to me

Am   C
  You know I'm waiting,

 Dm C Dm C Am
I love you end-lessly.

             C
C'mon Billy,

Am   C
  You're the only one,

Am   C
  Don't you think it's time now

  Dm C   Dm C Am
You met your on - ly son?

Verse 2

            C
I remember,

Am   C
  Lovers play

Am   C
  The corn was golden

 Dm C Dm C Am
We lay in it   for days.

            C
I remember,

Am   C
  The things you said,

Am   C
  My little Billy,

   Dm C   Dm C   Am
Come to   your lov - er's bed.

Bridge 1

             Am
Come home,   is my plea

  Em   **Am**
  Your home now is here with me.

Dm   **Am**
  Come home,   to your son

Em
  Tomorrow might never come.

Verse 3

  Am   **C**
  C'mon Billy,

Am   **C**
  You look good to me,

Am   **C**
  How many nights now

         Dm **C** **Dm C**
Your child in - side of . . .

Am   **C**
  Don't forget me,

Am   **C**
  I had your son,

Am   **C**
  Damn thing went crazy,

      Dm **C**   **Dm C Am**
But I swear you're the on - ly one.

Instrumental | **Dm** | **Am** | **Em** | **Am** | **Dm** | **Am** | **Em** | **Em** ||

Outro

Am   **C**
  Come along Billy, come to me

Am   **C**
  Come along Billy, come to me

Am   **C**
  Come along Billy, come to me

Dm   **C**   **Dm**   **C**
Come along Billy, come to   me

Am   **C**
  Come along Billy, come to me

Am   **C**
  Come along Billy, come to me

Am   **C**
  Come along Billy, come to me

Dm   **C** **Dm** **C**   **Am**
Come along and come   to   me.

Concrete Sky

Words & Music by
Beth Orton & Johnny Marr

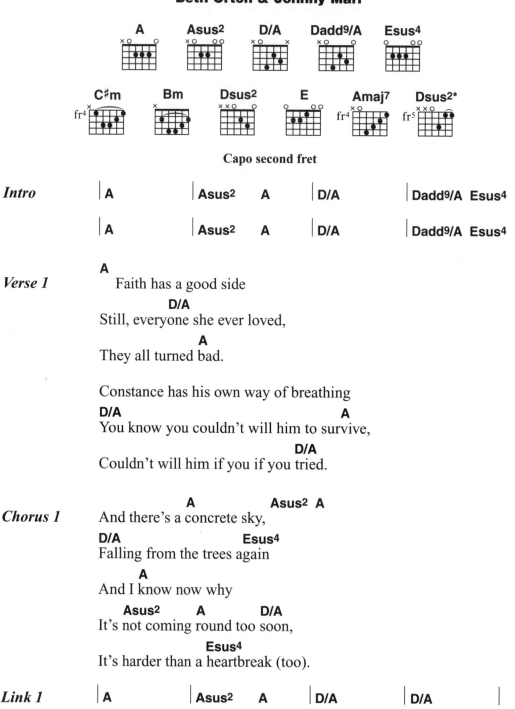

Capo second fret

Intro
| A | Asus² A | D/A | Dadd⁹/A Esus⁴ |

| A | Asus² A | D/A | Dadd⁹/A Esus⁴ |

Verse 1

   A
Faith has a good side
     D/A
Still, everyone she ever loved,
      A
They all turned bad.

Constance has his own way of breathing
D/A   **A**
You know you couldn't will him to survive,
           D/A
Couldn't will him if you if you tried.

Chorus 1

     A   **Asus²** **A**
And there's a concrete sky,
D/A   **Esus⁴**
Falling from the trees again
    A
And I know now why
   Asus²   **A**   **D/A**
It's not coming round too soon,
       Esus⁴
It's harder than a heartbreak (too).

Link 1
| A | Asus² A | D/A | D/A |
too.

Verse 2

A
   I've seen your good side

    D/A   A
But I still don't know just what it is that you might want.

See, you got your own way of moving

    D/A
And you know you could save it.

Bridge 1

C#m   Bm
Save my soul

C#m   Bm
   Save some for you

C#m   Bm
   Hold my   soul

  Dsus2   E
I feel like I'm falling,

  Dsus2   E
I feel like I'm falling.

Chorus 2

          A   Asus2 A
And there's a concrete sky,

D/A   Esus4
Falling from the trees again

    A
And I know now why

   Asus2   A   Dadd9/A
It's not coming round too soon

              Esus4 |A |Asus2 A |Dadd9/A |
It's harder than a heartbreak too,

   Dadd9/A   Esus4   A |Asus2 A |Dadd9/A |Dadd9/A |
It's tough enough what love will do.

Verse 3

A
   So much time

           D/A
Got lost in my mind

But I know now what I must rely on

    A
It's a sound, forgetting,

      D/A
And the worst thing.

cont.

A
   I've been out walking,

          D/A
Don't do too much talking

          A
Don't take too much time,

           D/A
Wouldn't take all your time

'Cause it's as precious as mine.

Bridge 2

C♯m   **Bm**
Save my soul

C♯m   **Bm**
  Save some for you,

C♯m   **Bm**
  Save your   soul

 Dsus2   **E**
I feel like I'm falling,

 Dsus2   **E**
I feel like I'm falling.

Chorus 3

            A   **Asus2 A**
And there's a concrete sky

D/A   **Esus4**
Falling from the trees again

       A
And I know now why

   Asus2   **A**   **D/A**
It's not coming round too soon

             Esus4   **A**   **Asus2** **A**
It's harder than a heartbreak too.

D/A   **Esus4** **A** **Asus2 A**
  It's tough enough what love will do

D/A   **Amaj7**
  And it's as precious as mine,

Dsus2*   **Amaj7**
  And it's as precious as mine.

Outro

| **Dsus2*** | **Dsus2*** | |

                                    x3

‖: **A** | **Asus2 A** | **D/A** | **Dadd9/A Esus4** :‖ **A**   ‖
with vocal ad lib.

Crazy On You

Words & Music by
Ann Wilson, Nancy Wilson & Roger Fisher

Intro

| Am | Dsus4 B5/A Am7 | Am | Dsus4 Am/C E7 | G/D A/C# E7 |

| Am | Dsus4 B5/A Am7 | Am | Dsus4 Bm/A | Bm/A |

| Am | Dsus4 B5/A Am7 | Am | Dsus4 Am | Am |

| G | D/F# | E7 | Dm | E |

(slow) . . . . free time . . . .

x4

||: Am | F :|| Am | G | F |

Verse 1

   Am   C
If we still have time, we might still get by

   Dm   E
Every time I think about it, I wanna cry

   Am
With bombs and the devil,

     C
And the kids keep comin'

   Dm   .   E
No way to breathe easy, no time to be young.

x2

Link 1 ||: Am   Bm/E | Bm/E   :||

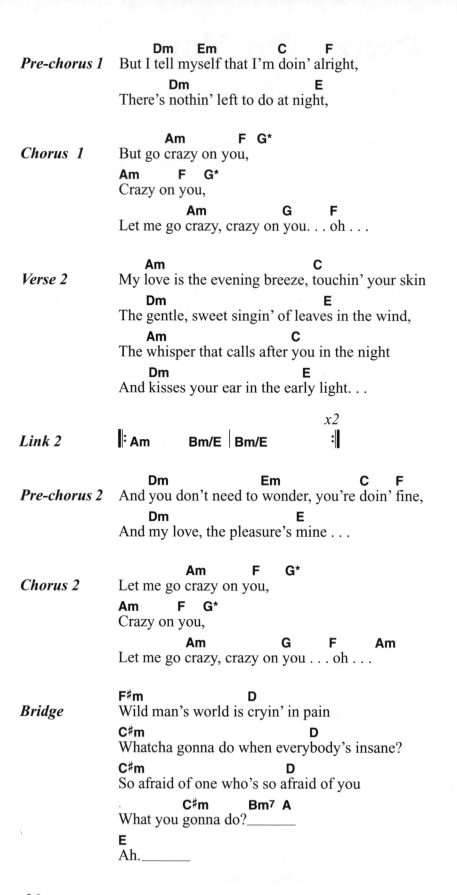

          Dm   **Em**   **C**   **F**

Pre-chorus 1 But I tell myself that I'm doin' alright,

          Dm   **E**

          There's nothin' left to do at night,

             Am   **F G***

Chorus 1   But go crazy on you,

          Am   **F**   **G***

          Crazy on you,

              Am   **G**   **F**

          Let me go crazy, crazy on you. . . oh . . .

            Am   **C**

Verse 2   My love is the evening breeze, touchin' your skin

          Dm   **E**

          The gentle, sweet singin' of leaves in the wind,

          Am   **C**

          The whisper that calls after you in the night

          Dm   **E**

          And kisses your ear in the early light. . .

                                                x2

Link 2   ‖: **Am**   **Bm/E** | **Bm/E**   :‖

          Dm   **Em**   **C**   **F**

Pre-chorus 2 And you don't need to wonder, you're doin' fine,

          Dm   **E**

          And my love, the pleasure's mine . . .

             Am   **F**   **G***

Chorus 2   Let me go crazy on you,

          Am   **F**   **G***

          Crazy on you,

              Am   **G**   **F**   **Am**

          Let me go crazy, crazy on you . . . oh . . .

          F♯m   **D**

Bridge   Wild man's world is cryin' in pain

          C♯m   **D**

          Whatcha gonna do when everybody's insane?

          C♯m   **D**

          So afraid of one who's so afraid of you

               C♯m   **Bm7**   **A**

          What you gonna do?_____

          E

          Ah._____

Chorus 3

```
Am          F    G*
Crazy on you,
Am      F    G*
Crazy on you,
              Am          G      F
Let me go crazy, crazy on you. . . oh . . .
```

Verse 3

```
Am                  C
I was a willow last night in a dream,
  Dm              E
I bent down over a clear running stream,
   Am                    C
I sang you the song that I heard up above
     Am
And you kept me alive
         E
With your sweet flowing love.
```

Chorus 4

```
Am   F    G*
Crazy,   yeah
Am      F    G*
Crazy on you,
              Am          G      F
Let me go crazy, crazy on you. . . oh,
```

Chorus 5

```
  Am      F   G*
Crazy on you,
Am       F   G*
Crazy on you,
              Am          G      F
Let me go crazy, crazy on you. . . yeah!
```

Instrumental

Am	F G*	Am	F G*	Am	G	F	Am ‖
F#m	D	C#m	D	C#m	D	C#m	Bm7 ‖
Bm7	A	A	

```
E
Ah _____
```

Chorus 6

```
Am        F    G*
Crazy on you,
Am      F    G*
Crazy on you,
              Am          G      F      Am
Let me go crazy, crazy on you. . . oh . . .
```

Cry

Words & Music by
David Gavurin & Harriet Wheeler

C*   Cmaj7   Asus4   Am*   C   F   Em

Am   Dm   Em/B   G   Fmaj7   G7   Fadd9   C/G

Intro   ‖: C* Cmaj7 | Asus4 Am* :‖

‖: C | C   F   :‖

Verse 1
Em   Am
   And I'm standing on a platform,
F   Dm
   Now I'm staring from a train,
Em/B   Am
   And all the trees roll back beside but I'm so oblivious
          F   Dm
To the dark,   to the light, it's all the same.

Pre-chorus 1
G   Fmaj7
  You gave me so much,
G7   Fmaj7   Fadd9
  And now it's of the earth.

Chorus 1
              C
And it makes me   cry,
F   C
  And it makes me   cry,
F   C
  It makes me   cry,
F   C/G   F
  It can make me   cry.

Verse 2

> Em   Am
> And you're standing here beside me,
> F   Dm
> In a picture in a frame
> Em/B   Am
> And your voice could never fade it's so familiar,
>   F   Dm
> Things you said in my head, every day.

Pre-chorus 2

> G   Fmaj7
> You gave me so   much
> G7   Fmaj7   Fadd9
> And now it's of the earth.

Chorus 2

>   C
> And it makes me   cry,
> F   C
> And it makes me   cry,
> F   C
> It makes me   cry,
> F   C/G   F
> And it can make me   cry.

Instrumental

| G | F | Am | F | |
| G | F | Em | F | |

Pre-chorus 3

> G   Fmaj7
> You're with me so   much
> G7   Fmaj7   Fadd9
> Though you're never with me anymore.

Chorus 3

>   C
> And it makes me   cry,
> F   C
> And it makes me   cry,
> F   C
> And it makes me   cry,
> F   C/G
> It can make me   cry.
> F   C
> Ooh, it makes me   cry,
> F   C
> And it makes me   cry,
> F   C
> Yeah, and it makes me   cry,
> F   C/G   F   C
> And it can make me   cry.

39

Days

Words & Music by
Ray Davies

A   E   D   F   C   G   Am

Intro | A | A |

Verse 1

A
    Thank you for the days _____
            E

     D   A   D   A   E   A
Those endless days, those sacred days   you gave   me.

             E
I'm thinking of the days _____

   D   A   D   A   E   A
I won't forget a single day believe me.

   D   A
I bless the light,

   D   A   D   A   E   A
I bless the light that lights on you believe me.

     D   A
And though you're gone

     D   A   D   A   E   A
You're with me every single day believe me.

Chorus 1

   F   C   G
Days I'll remember all my life,

   F   C   G
Days when you can't see wrong from   right,

    F   C
You took my   life

    F   C   F   C   G   C
But then I knew that very soon you'd leave me.

    F   C
But it's alright,

     F   C   F   C   G   C
Now I'm not frightened of this world believe me.

Bridge

        E   Am
I wish today, could be tomorrow,

          E
The night is long

           Am   G   F
It just brings sorrow let it wait,

      E
Ah. ____

Verse 2

              A   E
Thank you for the days _____

      D   A   D   A   E   A
Those endless days, those sacred days   you gave   me.

                  E
I'm thinking of the days _____

   D   A   D   A   E   A
I won't forget a single day believe me.

Chorus 2   As Chorus 1

Link

E
Days. _____

Verse 3   As Verse 2

Outro

      D   A
I bless the light

      D   A   D   A   E   A
I bless the light that shines on you believe me

        D   A
And though you're gone

        D   A   D   A   E   A
You're with me every single day believe me.

A
Days. _____

Distractions

**Words & Music by
Henry Binns, Sam Hardaker & Sia Furler**

Am7   Am6   Fmaj7/A   Am   D   B♭7   G#aug

C/G   F#m7♭5   Fmaj7   Bm7/E   D7sus2   C#7sus2   C7sus2   Dm/G

Capo first fret

Intro

| Am7 | Am6 | Fmaj7/A | Am6 |

| Am | D | B♭7 | Am |

| Am | D | B♭7 | Am |

Verse 1

Am   D
 Fancy a, a big house
B♭7   Am
 Some kids and a horse.
       D
I can not quite, but nearly
B♭7   Am
 Guarantee, a divorce.

Link 1

| Am | D | B♭7 | Am |

Verse 2

Am   D
 I think that I love you
B♭7   Am
 I think that I do,
  Am7 D   B♭7 Am
So go on mister, make Miss me Mrs you.

Chorus 1

Am   G#aug   C/G   F#m7♭5
 I love you, I love you, I love you, I do
Fmaj7 Bm7/E D7sus2
I only make jokes to distract myself
C#7sus2 C7sus2 Dm/G Bm7/E
 From the truth, from the truth.

Link 2 | **Am** | **D** | **B♭7** | **Am** |

Verse 3

Am   **D**
Fancy a, a fast car
B♭7   **Am**
A bag full of loot,
              D
I can nearly guarantee
        B♭7   **Am**
You'll end up with the boot.

Chorus 2

Am   **G♯aug**   **C/G**   **F♯m7♭5**
I love you, I love you, I love you, I do
Fmaj7   **Bm7/E**   **D7sus2**
I only make jokes to distract myself
C♯7sus2   **C7sus2**   **Dm/G**   **Bm7/E**
   From the truth, from the truth.
              Am   **G♯aug**   **C/G**   **F♯m7♭5**
And I love you, I love you, I love you, I do
Fmaj7   **Bm7/E**   **D7sus2**
I only make jokes to distract myself
C♯7sus2   **C7sus2**   **Dm/G**   **Bm7/E**
   From the truth, from the truth.

Outro   ‖: **Am** | **G♯aug** | **C/G** | **F♯m7♭5** |

| **Fmaj7** **Bm7/E** | **D7sus2** **C♯7sus2** | **C7sus2** | **Dm/G** **Bm7/E** :‖

| **Fmaj7** **Bm7/E** | **D7sus2** **C♯7sus2** | **C7sus2** | **Dm/G** **Bm7/E** | **Am**   ‖

Don't Know Why

Words & Music by
Jesse Harris

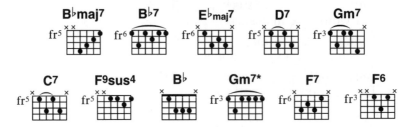

Intro | B♭maj7 B♭7 | E♭maj7 D7 | Gm7 C7 | F9sus4 |

Verse 1

B♭maj7 B♭7   E♭maj7   D7
I waited 'til I saw the sun

Gm7   C7   F9sus4   B♭
 I don't know why I didn't come

B♭maj7   B♭7   E♭maj7   D7
 I left you by the house of fun

Gm7   C7   F9sus4   B♭
 I don't know why I didn't come

  Gm7   C7   F9sus4   B♭
I   don't know why I didn't come.

Verse 2

B♭maj7   B♭7   E♭maj7   D7
 When I saw the break of day

Gm7   C7   F9sus4   B♭
 I wished that I could fly away.

B♭maj7   B♭7   E♭maj7   D7
 Instead of kneeling in the sand

Gm7   C7   F9sus4   B♭
Catching teardrops in my hand.

Chorus 1

  Gm7   C7   F7
My heart is drenched in wine,

  Gm7*   C7   F7   F6
But you'll be on my mind forever.

Verse 3

B♭maj7 B♭7   E♭maj7 · D7
Out across the endless sea

Gm7   C7   F9sus4   B♭
I would die in ecstasy

B♭maj7   B♭7 E♭maj7   D7
But I'll be a bag of bones

Gm7   C7   F9sus4   B♭
Driving down the road alone.

Chorus 2

Gm7   C7   F7
My heart is drenched in wine,

  Gm7*   C7   F7   F6
But you'll be on my mind forever.

Instrumental ‖: B♭maj7 B♭7 │E♭maj7 D7 │Gm7 C7 │F9sus4 :‖

Verse 4

B♭maj7   B♭7   E♭maj7   D7
Something has to make you run

Gm7   C7   F9sus4 B♭
I don't know why I didn't come.

B♭maj7 B♭7   E♭maj7   D7
I feel as empty as a drum,

Gm7   C7   F9sus4 B♭
I don't know why I didn't come,

Gm7   C7   F9sus4 B♭
I don't know why I didn't come,

Gm7   C7   F9sus4 B♭
I don't know why I didn't come.

Diamonds And Rust

Words & Music by
Joan Baez

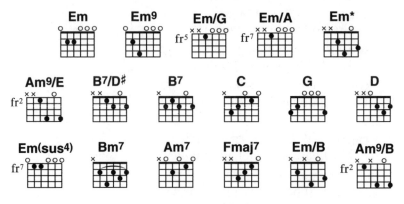

Capo first fret

Intro | Em | Em9 Em | Em | Em9 Em | Em/G | Em/A | Em* | Am9/E |

| Em* | B7/D# | B7 | Em | Em9 Em | Em | Em9 Em |

Verse 1

Em   Em9 Em   C
Well I'll be damned,   here comes your ghost again

G
But that's not unusual,

D
It's just that the moon is full

Em   Em9   Em
And you happened to call.

Em   Em9 Em   C
And here I sit,   hand on the telephone,

G
Hearing a voice I'd known

D
A couple of light years ago,

Em   Em9   Em   Em9
Heading straight for a fall.

Verse 2

Em   Em9   Em   C
As I remember, your eyes were bluer than Robin's ebbs,

G
My poetry was lousy, you said

cont.

                   D
Where are you calling from?
                   Em   **Em9** **Em**
A booth in the Midwest.
Em   **Em9 Em**   **C**
  Ten years ago I bought you some   cufflinks,
                   G
You brought me something
                   D
We both know what memories can bring
                    Em   **Em9**
They bring diamonds and rust.

Instrumental | Em | Em(sus4) | Em* | Am/E | Em* | B7/D♯ |

| B7 | Em | Em9 Em | Em | Em9 Em |

Verse 3

      Em   **Em9**   **C**
Well you burst on the scene already a legend,
             G
The unwashed phenomenon,
         D
The original vagabond,
             Em   **Em9**   **Em**
You strayed into my arms.
      Em   **Em9** **Em**   **C**
And there you stayed,   temporarily lost at sea,
             G
The Madonna was yours for free
             D   **Em** | **Em** |
Yes, the girl on the half shell could keep you unharmed.

Bridge

       Bm7
Now I see you standing with brown leaves falling all around,
        Am7
And snow in your hair,
       Bm7
Now you're smiling out the window of that crummy hotel
        Am7
Over Washington Square.
    C   **G**
Our breath comes out white clouds, mingles and hangs in the air,
        Fmaj7   **G**
Speaking strictly for me, we both could've died then and there.

Instrumental	B7		Em/B		Am9/B		Em/B		B7		
	B7		Em		Em9 Em	Em			Em9	Em	

Verse 4

Em   Em9 Em   C
Now you're telling me   you're not nostalgic,

                G
Then give me another word for it

        D
You were so   good with words

               Em   Em9
And at keeping things there.

    Em   Em9   Em
'Cause I need some of that vagueness now,

                C
It's all coming back too clearly,

            G
Yes, I loved you dearly

                 D
And if you're offering me diamonds and rust

       Em   Em9   Em
I've already paid.

Outro   ‖: Em | Em9 Em :‖   *Repeat to fade*

Hands

**Words & Music by
Jewel & Patrick Leonard**

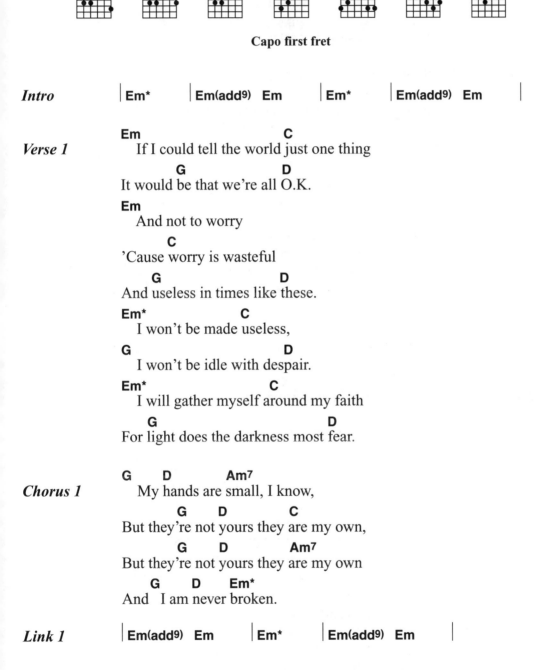

Em*   Emadd9   Em   C   G   D   Am7

Capo first fret

Intro | Em* | Em(add9)   Em | Em* | Em(add9)   Em |

Verse 1

      Em   C
If I could tell the world just one thing
       G   D
It would be that we're all O.K.
Em
    And not to worry
         C
'Cause worry is wasteful
       G   D
And useless in times like these.
Em*   C
    I won't be made useless,
G   D
    I won't be idle with despair.
Em*   C
    I will gather myself around my faith
       G   D
For light does the darkness most fear.

Chorus 1

     G   D   Am7
    My hands are small, I know,
        G   D   C
But they're not yours they are my own,
        G   D   Am7
But they're not yours they are my own
     G   D   Em*
And   I am never broken.

Link 1 | Em(add9)   Em | Em* | Em(add9)   Em |

Verse 2

    Em   **C**
Poverty stole your golden shoes
G   **D**
  It didn't steal your laughter.
Em   **C**
  And heartache came to visit me
      G   **D**
But I knew it wasn't ever after.
Em*   **C**
We'll fight, not out of spite
    G   **D**
For someone must stand up for what's right,
      Em*   **C**
'Cause where there's a man who has no voice
G   **D**
There ours shall go singing.

Chorus 2

G   **D**   **Am7**
  My hands are small, I know,
       G   **D**   **C**
But they're not yours they are my own,
       G   **D**   **Am7**
But they're not yours they are my own,
    G   **D**   **Em**
And I am never broken.

Bridge

G   **D** **Em**   **C**
  In the end only kindness matters
G   **D** **Em**   **C**
  In the end only kindness matters.

Verse 3

Em*   **C**   **G**   **D**
  I will get down on my knees,   and I will pray,
Em*   **C**   **G**   **D**
  I will get down on my knees,   and I will pray,
Em*   **C**   **G**   **D**
  I will get down on my knees,   and I will pray.

Chorus 3

G   **D**   **Am7**
  My hands are small, I know,
       G   **D**   **C**
But they're not yours they are my own,
       G   **D**   **Am7**
But they're not yours they are my own,
    G   **D**   **Em**
And   I am never broken.

cont.

    G   D   Am7
    My hands are small, I know,

          G   D   C
But they're not yours they are my own,

          G   D   Am7
But they're not yours they are my own,

     G   D   Em
And I am never broken

G   D   C D Em
  We are   never bro - ken.

Link 2 | C | D | Em | C | D | Em |

        C D   Em
Outro   We are God's eyes

C D   Em
   God's hands

C D   Em
   God's heart

     C D   Em
We are God's eyes.

to fade

Falling Into You

**Words & Music by
Kasey Chambers**

Bm   C   D   G/B   Am¹¹   Cadd⁹   Em

Capo second fret

Verse 1

N.C.   Bm
I've been crushed like paper,
C   D
  I've been washed like rain.
G/B   Bm
  I've been scared of sleeping,
C   D
  In case I wake up the same.
G/B   Bm
  I've been broken and battered,
C   D
  I've been lost in my home.
G/B   Bm
  I've been cryin' a river,
C   D
  I've been cold as a stone.

Chorus 1

Cadd⁹   D
  But falling into you,
 G/B   Am¹¹   Em
It carries me far enough away.
C   D
  And everything you do
 G/B   Am¹¹   Em | Em D |
It lightens up my darker side of day.
C   D
  I just hope that the wind
                G/B | G/B |
Doesn't blow you away.

Verse 2

<pre>
             Bm
I've been left unattended,
   C   D
   I've been thrown like a ball.
G/B   Bm
   I've been rolled with the punches,
   C   D
   And I didn't feel a thing at all.
G/B   Bm
   I've been crossed by the wires,
   C   D
   I've been blinded by the light.
G/B   Bm
   I've been burnt by the fire,
   C   D
   I've been kept out of sight.
</pre>

Chorus 2

<pre>
Cadd9   D
   But falling into you,
   G/B   Am11   Em
It carries me far enough away
   C   D
   And everything you do
   G/B   Am11   Em
It lightens up my darker side of day.
   C   D
   I just hope that the wind
                     G/B   Am13
Doesn't blow you away.
   C   D
   I just hope that the wind
                     G/B │ G/B   │ G/B   ‖
Doesn't blow you away.
</pre>

Five String Serenade

Words & Music by
Arthur Lee

Em7   Am7   C   D   G

Intro   ‖: Em7   Am7 | C | Em7   Am7 | C   :‖

Verse 1
Em7   Am7   C
This is my five string serenade,
Em7   Am7   C
Beneath the water of play.
Em7   Am7   C
And while I'm playing for you,
Em7   Am7   C
It could be raining there too.

Link 1 | Em7   Am7 | C | Em7   Am7 | C   ‖

Verse 2
Em7   Am7   C
This is my five string serenade,
Em7   Am7   C
Beneath the water of play.
Em7   Am7   C
And while I'm playing for you,
Em7   Am7   C | C |
It could be raining there too.

Bridge 1
C   D
And on my easel I drew,
C   D
While I was thinking of you,
C   D
And on the roof of my head,
C   D | D |
In came my five string serenade.

Link 2   ‖: Em7   Am7 | C | Em7   Am7 | C   :‖

Verse 3

Em⁷   Am⁷   C
This is my five string serenade,

Em⁷   Am⁷   C
Beneath the water of play.

Em⁷   Am⁷   C |C |
And while I'm playing for you,

Em⁷   Am⁷   C
It could be raining there too.

Bridge 2

C   D
And on my easel I drew,

C   D
While I was thinking of you,

C   D
And on the roof of my head,

C   D |D |
In came my five string serenade.

Link 3

‖: G   Am⁷ |C |G   Am⁷ |C   :‖

Verse 4

Em⁷   Am⁷   C
This is my five string serenade,

Em⁷   Am⁷   C
Beneath the water of play.

Em⁷   Am⁷   C
And while I'm playing for you,

Em⁷   Am⁷   C
It might be raining there too.

Link 4

| Em⁷   Am⁷ |C |Em⁷   Am⁷ |C   ‖

Coda

Em⁷   Am⁷   G
This is my five string serenade.

4th Of July

Words & Music by
Aimee Mann

F#m7   G#m7   Asus2   C#m   D   A   B   E

(chord diagrams)

Capo first fret

Intro   ‖: F#m7 | G#m7 | Asus2 | Asus2 :‖

Verse 1
```
  G#m7          C#m       Asus2
  Today's the fourth of July
  G#m7      C#m           Asus2
  Another June has gone by
  G#m7            C#m        D       A
  And when they light up our town I just think
          F#m7         G#m7       Asus2
  What a waste of gunpowder and sky.
```

Link 1 | F#m7 | G#m7 | Asus2 | Asus2 |

Verse 2
```
  G#m7          C#m    Asus2
  I'm certain I am alone
  G#m7          C#m             Asus2
  In harbouring thoughts of our home
  G#m7            C#m         D          A
  It's one of my faults that I can't quell my past
   F#m7          G#m7   Asus2
  I ought to have gotten it gone
   F#m7          G#m7   Asus2
  I ought to have gotten it . . .
```

Chorus 1
```
  B      A      E          C#m          F#m7 B   A
  Oh, baby, I wonder - if when you are older, someday
  B      A        E              C#m           F#m7
  You'll wake up and say, "My God, I should have told her,"
  B           A
  What would it take?
  B    A        E           C#m          F#m7 |B  |A  |A   |
  But now here I am and the world's gotten colder
         A            G#m7          A
  And she's got the river down which I sold her.
```

Link 2 | A | Asus2 | Asus2 | G♯m7 | Asus2 | Asus2 | Asus2 | Asus2 |

Verse 3

G♯m7   C♯m   Asus2
So that's today's memory lane
G♯m7   C♯m   Asus2
With all the pathos and the pain
G♯m7   C♯m   D   A
Another chapter in a book where the chapters are
F♯m7   G♯m7   Asus2
Endless and they're always the same
 F♯m7   G♯m7   Asus2
A verse, then a verse, and refrain.

Chorus 2

B A   E   C♯m   F♯m7 B   A
Oh, baby, I wonder Ð if when you are older, someday
B   A   E   C♯m   F♯m7
You'll wake up and say, "My God, I should have told her,"
B   A
What would it take?
B A   E   C♯m   F♯m7 | B | A | A |
But now here I am and the world's gotten colder
    A   G♯m7   A
And she's got the river down which I sold her.

| A | A | A | |

     A   G♯m7   A
Yeah, she's got the river down which I sold her.

Hey, Man!

Words & Music by
Nelly Furtado, Gerald Eaton, Brian West & Kevin Volans

G D Dadd9/11 Cadd9 Am D/F# C Am7

Intro ‖: G | G | D G | D :‖ *x2*

Verse 1

Dadd9/11   Cadd9
Hey, man, don't look so scared

Am
You know I'm only testing you out.

Dadd9/11   Cadd9
Hey man, don't look so angry

Am
You're real close to figuring me out.

Dadd9/11   Cadd9
We are a part of a circle

Am
It's like a mobius strip

Dadd9/11   Cadd9
And it goes round and round until it loses a link.

Chorus 1

G   D/F# G D/F#
And there's a shadow in the sky, and it looks like rain.

G   D/F# G D/F#
And shit is gonna fly once again!

Verse 2

Dadd9/11   Cadd9   Am
Hey, man, we look at each other,   with ample eyes and,

Dadd9/11   Cadd9   Am
Why not some time to discover   what's behind your eyes?

      Dadd9/11 Cadd9   Am
And I've got so many questions   that I want to ask you

Dadd9/11 Cadd9   N.C.
I am so tired of mirrors - pour me a glass of your wine!

Chorus 2

G   D/F# G D/F#
And there's a shadow in the sky, and it looks like rain.

G   D/F# G D/F#
And shit is gonna fly once again!

Instrumental |G |C   G |G |C   G |

Verse 3
              Dadd9/11   **Am7**

I've got a bunch of government cheques   at my door,

              Dadd9/11   **Am**

Each morning I send them back but they only send me more.

          Dadd9/11   **Am7**

I look at myself in the mirror, am I vital today?

Dadd9/11   **Cadd9**

  Hey, man, I let my conscience   get in the way, oh!

Chorus 3
G   **D/F♯   G   D/F♯**

  And there's a shadow in the sky, but it looks like rain.

G   **D/F♯   G   D/F♯**

  And shit is gonna fly once again.

Outro
G   **D/F♯   G   D/F♯**

  And I don't mean to rain on your parade

G   **D/F♯   G   D/F♯**

  But pathos has got me once again . . .

       G

And I don't want ambivalence,

                 D/F♯   **G**   **D/F♯**

No I don't want ambivalence no more!

      G

No I don't want ambivalence

                 D/F♯   **G**   **D/F♯**

No I don't want ambivalence no more!

        G

I said I don't want ambivalence

                 D   **G**   **D**

No I don't want ambivalence no more,   no   more.

        G

I said I don't want ambivalence

                 D   **G**   **D**   **G**

No I don't want ambivalence no more,   no   more, ay, ay, ay . . .

vocal improvisation to fade

I Deserve It

Words & Music by
Madonna & Mirwais Ahmadzai

Am   G   D   C

Verse 1

Am   G   D
This guy was meant for me,

Am   G   D
And I was meant for him,

Am   G   D
This guy was   dreamt for me,

Am   G   D
And I was dreamt for him.

Am   G   D
This guy has danced for me,

Am   G   D
And I have danced for him,

Am   G   D
This guy has   cried for me,

Am   G   D
And I have cried for him.

Chorus 1

Am   C   G   D
Many miles, many roads I have travelled

Am   C   G   D
Fallen down on the way,

Am   C   G   D
Many hearts, many years have unravelled

Am   C   G
Leading up to today.

Link 1

| Am   G |D |Am   G |D   ‖

Verse 2

Am   G   D
This guy has   prayed for me,

Am   G   D
And I have prayed for him,

Am   G   D
This guy was made for me,

Am   G   D
And I was made for him.

Chorus 2

Am   C   G   D
Many miles, many roads I have travelled
Am   C   G   D
Fallen down on the way,
Am   C   G   D
Many hearts, many years have unravelled
Am   C   G
Leading up to today.

Instrumental | Am   G |D | Am   G |D |

| Am   G |D | Am   G |D |

Verse 3

Am G   D
I have no regrets
                     Am
There's nothing to forget
G   D
All the pain was worth it.
Am   G   D
Not running from the past
                    Am
I tried to do what's best
 G   D
I know that I deserve it.

Chorus 3

Am   C   G   D
Many miles, many roads I have travelled
Am   C   G   D
Fallen down on the way,
Am   C   G   D
Many hearts, many years have unravelled
Am   C   G
Leading up to today.
Am   C   G   D
Many miles, many roads I have travelled
Am   C   G   D
Fallen down on the way,
Am   C   G   D
Many hearts, many years have unravelled
Am   C   G
Leading up to today

And I thank you.

Outro   ‖: Am G |D |Am G |D   :‖   *Repeat to fade*

If I Fall

Words & Music by
Alice Martineau

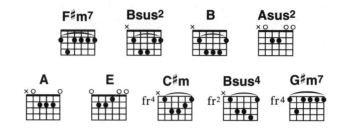

Intro | F#m7 | Bsus2 B | Asus2 | B A |

Verse 1

F#m7   B   A   B
Memories of a little girl   in my perfect world

      F#m7 B   A   B A
Won't cry   no need to know the reasons why.

F#m7   B   A   B
  My faith is so easy   in my carefree world

        F#m7   B   A   Asus2
I jump into my father's arms trusting that I'd be unharmed.

Chorus 1

       E   B   C#m   A
If I cry, if I fall into your arms tonight

         E   B   C#m   A
Will you be there,   and say that you care?

     E   B   C#m   A
If I try, if I call, call out your name tonight

       C#m
Will you be there (will you be there)?

         Bsus4   B
Will you say that you care (say that you care?)

Verse 2

F#m7   Bsus4 B A   Bsus4 B
Memories of a little   girl   in my carefree world

       F#m7 Bsus4 B   A   Bsus4 B
A gold star is by my name, to me it was all a game.

F#m7   B   Bsus4 B A   B Bsus4 B
  My eyes so full of light,   so keen to do it right

F#m7   B   Bsus4   B A   Asus2
  Impatient to be grown, not yet frightened of being alone.

Chorus 2

```
       E      B            C#m   A
If I cry, if I fall into your arms tonight
            E       B            C#m      A
Will you be there,   and say that you care?
       E      B              C#m    A
If I try, if I call, call out your name tonight
              C#m
Will you be there (will you be there?)
               Bsus4              B
Will you say that you care (say that you care?)
```

Bridge

```
       A                      G#m7
I'm wrapped in my daydreams (wrapped in my daydreams)
       A                      G#m7
I'm searching my history for the reason
          C#m                 Bsus4   B
I'm all alone, I never felt so alone,  alone.
```

Chorus 3

```
       E      B            C#m   A
If I cry, if I fall into your arms tonight
            E       B            C#m      A
Will you be there,   and say that you care?
       E      B              C#m    A
If I try, if I call, call out your name tonight
              C#m
Will you be there (will you be there?)
               Bsus4              B
Will you say that you care (say that you care?)
```

Solo

```
| E        | B        | C#m      | A          ‖
```

Outro

```
   C#m              Bsus4  B
   I never felt so alone, alone

| C#m      | A        | C#m      | A          ‖
```

```
   C#m           A            C#m          A
   My eyes so full of light, so keen to do it right.

| C#m      | A        | C#m      | A          |

| C#m      | A        | C#m      | A          ‖
```

I'm Not Sayin'

Words & Music by
Gordon Lightfoot

Cadd9   C   G   Bm   D   G7   A7

Capo third fret

Intro

| Cadd9 C   Cadd9 | C | Cadd9 C   Cadd9 | C |

| Cadd9 C   Cadd9 | C | G   C | G   C |

Verse 1

     G   C   Bm   C
   I'm not saying that I love you,

Bm   C   Bm C   G
   I'm not saying that I care   if you love me.

       C   D
I'm not saying that I care

       C   D   G
I'm not saying I'll be there when you want me.

Verse 2

        C   Bm   C
I can't give my heart to you,

Bm   C   Bm C   G
  Or tell you that I'd sing your name up to the sky.

       C   D
I can't let a promise stand

         C   D   G   G7
That I'll always be around when you need me.

Chorus 1

       C   D   G   G7
Now I may not be alone each time you see me

    C   D   G   G7
Along the street or in a small café.

    C   D   G
But still I won't deny your mistreating,

A7   D
Maybe if you let me have my way.

Verse 3
```
     G        C           Bm      C
     I'm not saying I'll be sorry
  Bm        C              Bm C          G
    For the things that I might say    that make you cry.
          C         D     C              D
  I can't say I'll always do the things you want me to
          C         D       G
  I'm not saying I'll be true but I'll try.
```

Instrumental
```
|C       |D       |G       |C       |G       |G          |

|G       |G       |G       |G7      |
```

Chorus 2
```
        C         D           G        G7
  Oh I may not be alone each time you see me
       C         D           G      G7
  Or show up when I promised that I would,
        C         D         G
  But still I won't deny your mistreating
  A7                        D
  Maybe if you loved me like you should.
```

Verse 4
```
     G        C           Bm      C
     I'm not saying I'll be sorry
  Bm        C              Bm C          G
    For the things that I might say    that make you cry.
          C         D     C              D
  I can't say I'll always do the things you want me to
          C         D       G
  I'm not saying I'll be true but I'll try.
          C         D     C              D
  I can't say I'll always do the things you want me to
          C         D       G
  I'm not saying I'll be true but I'll try.
```

Outro
```
|C       |D       |G       |C       |

|G       |G       |G       |G       ||
```

Imagine

**Words & Music by
John Lennon**

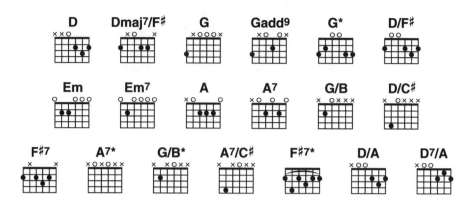

Capo fourth fret

Intro

‖: D   Dmaj7/F♯ | G   Gadd9 :‖

Verse 1

D   Dmaj7/F♯   G   Gadd9
Imagine there's no heaven

D   Dmaj7/F♯ G   Gadd9
It's easy if you try,

D   Dmaj7/F♯   G   Gadd9
No hell   be - low us ____

D Dmaj7/F♯   G   Gadd9
     Above us only sky. ____

G*   D/F♯   Em   Em7
Imagine all the people

A   A7   (G/B   D/C♯)
Living for today. ____

Verse 2

D   Dmaj7/F♯   G   Gadd9
Imagine there's no countries

D   Dmaj7/F♯ G   Gadd9
It isn't hard   to do.

D   Dmaj7/F♯   G
Nothing   to kill or die for,

D   Dmaj7/F♯   G
And no religion   too.

G*   D/F♯   Em   Em7
Imagine all   the people ____

A7   A
Living life in peace, you ____

Chorus 1

G*   A   D   F#7
You may say that I'm a dreamer

Gadd9   A   D   F#7
But I'm not the only one

Gadd9   A   D   F#7
I hope someday you'll join us _____

Gadd9   A   (A7* G/B* A7/C#)
And the world will live as one. _____

Verse 3

D   Dmaj7/F#   G   Gadd9
Imagine no possessions

D Dmaj7/F# G   Gadd9
I wonder if you can,

D   Dmaj7/F# G
No need   for greed or hunger

D   Dmaj7/F# G
A brother - hood of man.

G*   D/F# Em   Em7
Imagine all   the people _____

A   A7
Sharing all the world.

You _____

Chorus 2

G*   A   D/F#   F#7*
You may say that I'm a dreamer

G*   A   D   D/F# F#7*
But I'm not the only one _____

G*   A   D/F# F#7*
I hope someday you'll join us _____

G*   A   D/A   D7/A
And the world will live as one. _____

Chorus 3

G*   A   D   F#7*
You may say that I'm a dreamer

G*   A   D   F#7
But I'm not the only one

G*   A   D   F#7
I hope someday you'll join us _____

Gadd9   A7   N.C.   (A7* G/B* A7/C#)
And the world will live as one. _____

Outro   ‖: D   Dmaj7/F# | G   Gadd9 :‖   *Repeat to fade*

Jasmine Hoop

**Words & Music by
Kathryn Williams**

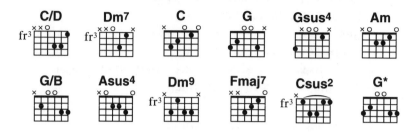

Intro | C/D | Dm7 | C | G |

Verse 1

C/D Dm7 C   Gsus4
 Window light shines on the leaves of my plant
C/D Dm7   C   G
 And a Jasmine Hoop swings on the highest branch.
C/D Dm7   C   Gsus4 G
  We took cheap shots at each other on the phone
C/D Dm7   Am   G Gsus4
 But it was my last chance before you were gone.

Bridge 1

C G/B   Am Asus4 Am C
 You stand there ignoring all my friends
G/B   Am Asus4 Am C G/B Am
 'Cause you said I'm all you can stand.

Chorus 1

Dm9 Fmaj7   Csus2   G*
 I'm gonna tell you half the story so you'll come back
Dm9 Fmaj7   Csus2   G*
 I'm gonna tell you half the answers so if you get one
Dm9 Fmaj7 Csus2 G*
 You won't expect it,
Dm9 Fmaj7   Am   G*
   Don't expect it dear,
Csus2 G/B Csus2 G/B Csus2 G/B Am
  I'm no - body's fool.

Verse 2

Dm⁹   Fmaj⁷ C   Gsus⁴   G
Window   light   shines on the leaves of my plant

Dm⁹   Fmaj⁷   C   G*
And a Jasmine Hoop swings   on the highest branch.

Dm⁹ Fmaj⁷   C   Gsus⁴ G
We took cheap shots at each other on the phone

Dm⁹ Fmaj⁷   Am   G*
But it was my last chance before you were gone.

Chorus 2

Dm⁹ Fmaj⁷   Csus²   G*
I'm gonna tell you half the story so you'll come back

Dm⁹ Fmaj⁷   Csus²   G*
I'm gonna tell you half the answers so if you get one

Dm⁹   Fmaj⁷ Csus² G*
You won't expect it,

Dm⁹ Fmaj⁷   Am   G*
Don't expect it dear.

Instrumental | Dm⁹ | Fmaj⁷ | C | G* | Dm⁹ | Fmaj⁷ | Am | G* ‖

Bridge 2

C   G/B   C G/B
You stand there ignoring all my friends

Am G/B C   G/B   Am | Am |
'Cause you said I'm all you can stand. _____

Chorus 3   As Chorus 2

Chorus 4

Dm⁹ Fmaj⁷   Csus²   G*
I'm gonna tell you half the story so you'll come back

Dm⁹ Fmaj⁷   Csus²   G*
I'm gonna tell you half the answers so if you get one

Dm⁹   Fmaj⁷ Csus² G*
You won't expect it,

Dm⁹ Fmaj⁷   Am
Don't expect it dear.

Coda

C/D   Dm⁷ C   Gsus⁴   G
Window light   shines on the leaves of my plant

C/D   Dm⁷   C   G*
And a Jasmine Hoop swings   on the highest branch.

The Last Day Of Our Acquaintance

Words & Music by
Sinead O'Connor

G	C	F/A	F

Capo third fret

Intro |G   C |G |C   G |G |

Verse 1

      G   C   G   C   G
     This is the last day of our acquaintance

                       C   G   C   G
I will meet you later in somebody's office.

                  F/A   G   C   G
I'll talk but you won't listen to me,

                     C   G   C   G
I know what your answer will be,

                    C   G   C
I know you don't love me anymore.

    G   C   G   C   G
   You used to hold my hand when the plane took off,

                  F/A   G   C   G
Two years ago there just seemed so much more,

                     C   G   C   G
And I don't know what happened to our love.

Verse 2

    G   C   G   C   G
   Days and days our friendship has been stale,

                       C   G   C   G
And we will meet later to finalise the details

               F/A   G   C   G
Two years ago the seed was planted,

                            C   G   C   G
And since then you have taken me for granted.

                    C   G   C   G
But this is the last day of our acquaintance,

                    C   G   C   G
I will meet you later in somebody's office.

                F   G   C   G
I'll talk but you won't listen to me,

              C   G   C   G
I know your answer already.

Verse 3

               C   G   C   G
But this is the last day of our acquaintance,   oh, oh, oh.

           C   G   C   G
I will meet you later in somebody's office,   oh, oh, oh.

         F   G   C   G
I'll talk but you won't listen to me,   oh, oh, oh.

           C   G   C   G
I know your answer already,   oh, oh, oh.

           C   G C   G
I know your answer already,   oh, oh, oh.

           C   G   C   G
I know your answer already.

Last Rain

**Words & Music by
Tanya Donelly**

Bm   Dsus2   A   G   D   F#m   Em

Intro | N.C. | N.C. | Bm | Dsus2 |

| A | G |

Verse 1
D   A   Bm   F#m
  Some time today, it will rain.
Bm   Dsus2   A   G
  One of the last of the nineteen hundreds.
D   A   Bm   F#m
  Should we go out and try to save it?
Bm   Dsus2   A   G
  Or just let it go like the days and decades.

Chorus 1
D   A   Em
  This is my story in time,
    G   Bm
My piece of the sky.
    Dsus2 A
My story   line
        Em
My, my,
G | Bm | Dsus2 | A | G |
  How it flies.

Verse 2
        D   A   Bm   F#m
I am   so very proud to be here with you,
Bm   Dsus2   A   G
  So glad to be here it's kind of pathetic.
D   A   Bm   F#m
  I lose my voice in this noisy lock of ours,
Bm   Dsus2   A   G
  I just let it go like the days I've wasted.

Chorus 2

    D   **A**   **Em**
    This is my story in time,

      G   **Bm**
My piece of the sky.

     Dsus2 A
My story line

    Em | **Em** |
My, my,

Instrumental

     | **Bm** | **Dsus2** | **A** | **G** |
How it flies.

     | **Bm** | **Dsus2** | **A** | **G** |
How it   flies.

Bridge

Bm   **A**
Baby I'm not sentimental

Em   **G**
About a change in the rain.

Bm   **A**
   You go on about the end of the world

Bm   **A**
   With your prophecies and psychics, well I'm sure that

Bm   **A**
   Rain is just rain it just falls dumbly down ever

G   **A**
I'm letting go of this.

Chorus 3

D   **A**   **Bm** **G**
Some time today it will rain,

D   **A**   **Bm**   **G**
Some time today it will rain,   and you won't remember your name
(Some   time   today, it will rain)

D   **A**   **Bm**
   This is my story in time

      G   **D**
My piece of the sky.
               (Some time today . . .)

     A   **Bm**
My story line

      G
My, my,

     D   **A**
How it flies.
      (Some time today it will rain.)

73

cont.

Bm
So this is where the story ends,

G
Talking to a silver pillow.

D   A   Bm   G
Now that you know, my old heart will long

D
Now it's gone.

Long, Long Time

Words & Music by
Gary White

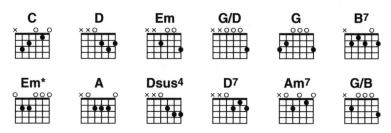

Capo second fret

Intro
|C D |Em G/D|C D |Em G/D|

Verse 1

C D   Em G/D
Love will abide,

C   D   G
Take things   in stride

C B7   Em*
Sounds like good advice

G/D   A   Dsus4
But there's no one there at my side, and

C   D7   Em G/D
Time   washes clean

C   D   G
Love's wounds unseen

C B7   Em*
That's what someone told me

G/D   A   D
But I don't know what it means, 'cause

Chorus 1

C   G
I've done everything I know

B7   Em* C
To try and make you mine.

       G   D   Em   C
And I think I'm gonna love you

       G   D   G   Am7 G/B
For a long,   long time.

Link 1
|C D |Em G/D|C D |Em G/D|

Verse 2

```
C D           Em   G/D
  Caught in my fears,
C        D        G
  Blinking back the tears
C B7          Em*
  I can't say you hurt me
G/D          A        D
  When you never let me near, and
C D     Em
I   never drew
C        D          G
  One response from you,
C D               Em
  All the while you fell
        A          D
All over girls you never knew, 'cause
```

Chorus 2

```
C               G
I've done everything I know
B7                    Em*  C
  To try and make you mine
    G       D       Em    C
And I think it's   gonna hurt me
      G    D    G      Am7 G/B
For a long,   long time.
```

Link 2

```
|C    D   |Em   G/D|C    D   |Em   G/D|
```

Verse 3

```
C D           Em   G/D
  Wait for the day,
C         D        G
  You'll go away
C B7              Em*
  Knowing that you warned me
G/D      A            D
  Of the price I'd have to pay, and
C    D    Em   G/D
Life's   full of loss
C            D    G
  Who knows   the cost,
C B7           Em*
  Living in the memory
      A        D7
Of a love that never was, 'cause
```

76

Chorus 3

```
C                 G
I've done everything I know
B7                          Em*  C
   To try and change your mind
     G       D      Em*      C
And I think I'm   gonna miss you
     G    D     Em     G/D
For a long,   long time.
```

Chorus 4

```
              C                 G
'Cause I've done everything I know
B7                          Em*  C
   To try and make you mine
     G       D      Em       C
And I think I'm   gonna love you
     G    D     G      Am7 G/B
For a long,   long time.
```

Outro |C   D |Em   G/D|C   ‖

77

Late Night Grande Hotel

Words & Music by
Nanci Griffith

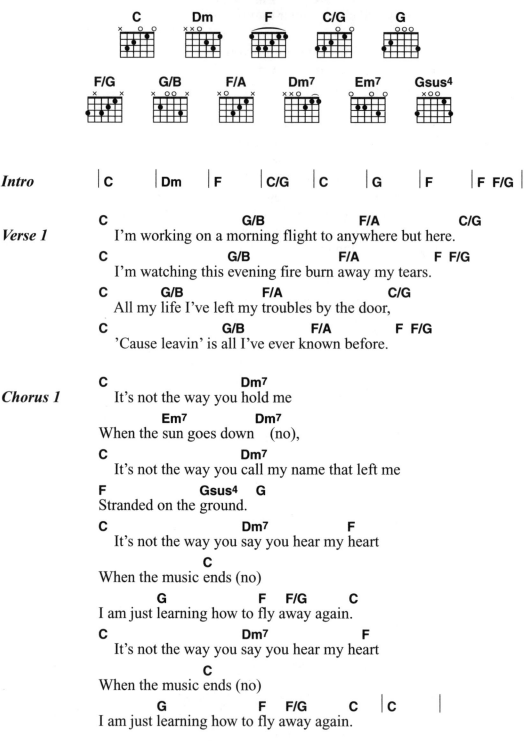

Intro | C | Dm | F | C/G | C | G | F | F F/G |

Verse 1
```
          C                      G/B              F/A              C/G
          I'm working on a morning flight to anywhere but here.
          C                      G/B            F/A            F F/G
          I'm watching this evening fire burn away my tears.
          C        G/B          F/A                 C/G
          All my life I've left my troubles by the door,
          C                      G/B            F/A          F F/G
          'Cause leavin' is all I've ever known before.
```

Chorus 1
```
          C                      Dm7
          It's not the way you hold me
                  Em7            Dm7
          When the sun goes down    (no),
          C                      Dm7
          It's not the way you call my name that left me
          F              Gsus4   G
          Stranded on the ground.
          C                      Dm7              F
          It's not the way you say you hear my heart
                          C
          When the music ends (no)
                  G              F  F/G    C
          I am just learning how to fly away again.
          C                      Dm7              F
          It's not the way you say you hear my heart
                          C
          When the music ends (no)
                  G              F  F/G    C    | C              |
          I am just learning how to fly away again.
```

Verse 2

```
C                        G/B
    And maybe you were thinkin'
              F/A           C/G
That you thought     you knew me well
C                        G/B              F/A      F  F/G
    But, no one ever knows the heart of anyone else
C          G/B        F/A                    C/G
    I feel like Garbo in this late night grande hotel,
C                  G/B            F                F/G
    'Cause living alone is all I've ever done well.
```

Chorus 2

```
C                        Dm7
    It's not the way you hold me
         Em7            Dm7
When the sun goes down    (no),
C                        Dm7
    It's not the way you call my name that left me
F            G
Stranded on the ground
C                  Dm7                    F
    It's not the way you say you hear my heart
                    C
When the music ends (no)
         G              F    F/G      C
I am just learning how to fly away again.
```

Chorus 3

```
C                        Dm7
    It's not the way you hold me
         Em7            Dm7
When the sun goes down    (no),
C                        Dm7
    It's not the way you call my name that left me
F              Gsus4
Stranded on the ground.
C                  Dm7                    F
    It's not the way you say you hear my heart
         G      C
When the music ends (no),
         G              F            C
I am just learning how to fly away again.
                    G                 F
    It's not the way you say you hear my heart
                    C
When the music ends (no)
         G              F    F/G      C
I am just learning how to fly away again.
```

Leavin'

**Words & Music by
Shelby Lynne**

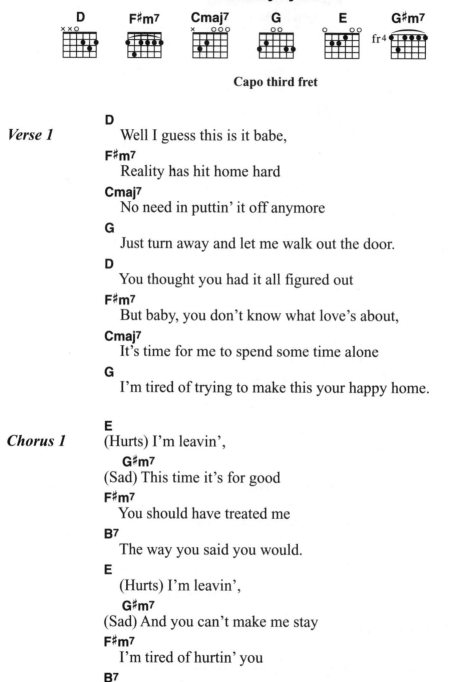

Capo third fret

Verse 1

D
Well I guess this is it babe,
F♯m7
Reality has hit home hard
Cmaj7
No need in puttin' it off anymore
G
Just turn away and let me walk out the door.
D
You thought you had it all figured out
F♯m7
But baby, you don't know what love's about,
Cmaj7
It's time for me to spend some time alone
G
I'm tired of trying to make this your happy home.

Chorus 1

E
(Hurts) I'm leavin',
  G♯m7
(Sad) This time it's for good
F♯m7
You should have treated me
B7
The way you said you would.
E
(Hurts) I'm leavin',
  G♯m7
(Sad) And you can't make me stay
F♯m7
I'm tired of hurtin' you
B7
This ain't no good anyway,
D　　　　　| **F♯m7**　| **Cmaj7**　| **G**　　　‖
I'm leavin'.

Verse 2

D
I know it's gonna be hard on you

F♯m7
Once it really hits you that I'm gone.

Cmaj7
I spent too much time trying to make things right

G
When I really knew all along.

D
You'll be O.K. in time baby,

F♯m7
But it won't be today,

Cmaj7
As you walk around and try to find yourself

G
Take a look at the bed you made.

Chorus 2

E
I'm leavin',

G♯m7
This time it's for good

F♯m7
You should have treated me

B7
The way you said you would.

E
I'm leavin',

G♯m7
And you can't make me stay

F♯m7
I'm tired of hurtin' you

B7
This ain't no good anyway.

Outro

D
Hurts me so, I'm leavin'

F♯m7   **Cmaj7**   **G**
Sad to go, o   -   ooh.

D   **F♯m7**
Hurts me so, sad to go

Cmaj7   **G**
Hurts me so,   sad to go.

| **E** | **E** | **E**   ‖

Little Star

**Words & Music by
Stina Nordenstam**

B♭sus2   C   F

Verse 1

N.C.   **B♭sus2**
Little star, _____

      C
So you had to go.

F   **C**   **B♭sus2**
   You must have wanted him to know,

F   **C**   **B♭sus2**
   You must have wanted the world   to know.

     F   **C**
Poor little thing,

B♭sus2   **F**   **C**   **B♭sus2**
   And now they know.

Verse 2

N.C.   **B♭sus2**
Little star, _____

      C
I had to close my eyes.

F   **C**   **B♭sus2**
   There was a fire at the warehouse,

F   **C**   **B♭sus2**
   They re always waiting for a thing like this.

F   **C**   **B♭sus2**
   Came driving from all over town

     F   **C**   **B♭sus2**
For you, __ little   star.

Instrumental | **B♭sus2** | **B♭sus2** | **C** | **C** |

                        | **F**   **C** | **B♭sus2** | **F**   **C** | **B♭sus2** |

                        | **F**   **C** | **B♭sus2** | **F**   **C** | **B♭sus2**   ‖

Verse 3

N.C.   **B♭sus2**
Little star, _____

    C
So you had to go.

F   **C**   **B♭sus2**
You must have wanted him to know,

F   **C**   **B♭sus2**
You must have wanted the world   to know.

     F   **C B♭sus2**
Poor little thing.

          F   **C B♭sus2**
And now they know.

Instrumental ‖: **F**   **C** | **B♭sus2** | **F**   **C** | **B♭sus2** :‖ *Play 3 times*
          With vocal backing

Coda
       F   **C**
For you, ____

     B♭sus2 **F** **C** **B♭sus2**
Little star.

| **F**   **C** | **B♭sus2**

Lovin' You

Words & Music by
Minnie Riperton & Richard Rudolph

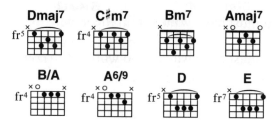

Intro ‖: Dmaj⁷ C#m⁷ | Bm⁷ Amaj⁷ :‖

Verse 1

Dmaj⁷ C#m⁷ Bm⁷   Amaj⁷
Lovin' you is easy 'cause you're beautiful

Dmaj⁷   C#m⁷ Bm⁷   Amaj⁷
  Makin' love with you, is all I wanna do.

Dmaj⁷ C#m⁷ Bm⁷   Amaj⁷
  Lovin' you is more than just a dream come true

Dmaj⁷   C#m⁷ Bm⁷   Amaj⁷
  And everything that I do, is out of lovin' you.

Chorus 1

Dmaj⁷   C#m⁷
La la la la la, la la la la la

Bm⁷   Amaj⁷
La la la la la la la la la la

Dmaj⁷   C#m⁷
  Do do do do do

Bm⁷   Amaj⁷
Ah - ah - ah -ah - ah - ah.

Bridge 1

Bm⁷   C#m⁷
No one else can make me feel

    Bm⁷   C#m⁷   B/A   A6/9
The colours that you bring.

Bm⁷   C#m⁷
Stay with me while we grow old

    Bm⁷   C#m⁷   D   E
And we will live each day in springtime,

Verse 2

Dmaj⁷   C♯m⁷   Bm⁷   Amaj⁷
'Cause lovin' you has made my life so beautiful

Dmaj⁷   C♯m⁷   Bm⁷   Amaj⁷
And every day of my life is filled with lovin' you.

Dmaj⁷   C♯m⁷   Bm⁷   Amaj⁷
Lovin' you I see your soul come shinin' through

Dmaj⁷   C♯m⁷   Bm⁷   Amaj⁷
And every time that we   ooooh, I'm more in love with you.

Chorus 2

Dmaj⁷   C♯m⁷
La la la la la, la la la la la

Bm⁷   Amaj⁷
La la la la la la la la la la la

Dmaj⁷   C♯m⁷
Do do do do do

Bm⁷   Amaj⁷
Ah - ah - ah -ah - ah - ah.

Bridge 2

Bm⁷   C♯m⁷
No one else can make me feel

     Bm⁷   D/E   B/A   A6/9
The colours that you bring.

Bm⁷   C♯m⁷
Stay with me while we grow old

    Bm⁷   C♯m⁷   D   E
And we will live each day in springtime,

Verse 3

Dmaj⁷   C♯m⁷   Bm⁷   Amaj⁷
'Cause lovin' you is easy 'cause you're beautiful

Dmaj⁷   C♯m⁷   Bm⁷   Amaj⁷
And every day of my life is filled with lovin' you.

Dmaj⁷   C♯m⁷   Bm⁷   Amaj⁷
Lovin' you I see your soul come shinin' through

Dmaj⁷   C♯m⁷   Bm⁷   Amaj⁷
And every time that we   ooooh, I'm more in love with you.

Chorus 3

Dmaj⁷   C♯m⁷
La la la la la, la la la la la

Bm⁷   Amaj⁷
La la la la la la la la la la la

Dmaj⁷   C♯m⁷
  Do do do do do

Bm⁷   Amaj⁷
Ah - ah - ah -ah - ah - ah.

Outro

‖: Dmaj⁷   C♯m⁷ | Bm⁷   Amaj⁷   :‖   *ad lib. vocals to fade*

85

Luka

Words & Music by
Suzanne Vega

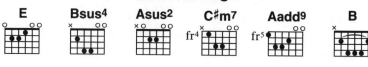

Capo second fret

Intro
| E | Bsus⁴ | Asus² | Bsus⁴ |

‖: C#m⁷ | Bsus⁴ :‖: Aadd⁹ | Bsus⁴ :‖

Verse 1

E   Bsus⁴
My name is Luka,

Asus²   Bsus⁴
I live on the second floor,

E   Bsus⁴
I live upstairs from you

Asus²   Bsus⁴
Yes I think you've seen me before.

C#m⁷   Bsus⁴
If you hear something late at night

C#m⁷   Bsus⁴
Some kind of trouble

         Aadd⁹
Some kind of fight,

       Bsus⁴
Just don't ask me what it was,

Aadd⁹   Bsus⁴
Just don't ask me what it was,

Aadd⁹   Bsus⁴
Just don't ask me what it was.

Verse 2

E   Bsus⁴
I think it's 'cause I'm clumsy,

Aadd⁹   Bsus⁴
I try not to talk too loud,

E   Bsus⁴
Maybe it's because I'm crazy,

Aadd⁹   Bsus⁴
I try not to act too proud.

C#m⁷   Bsus⁴   C#m⁷
They only hit   until you cry,

          Bsus4   **Asus2**

cont.   After that   you don't ask why,

              Bsus4

You just don't argue anymore,

Asus2   **Bsus4**

  You just don't argue anymore,

Asus2   **Bsus4**

  You just don't argue anymore.

Instrumental | E | **Bsus4** | **Aadd9** | **Bsus4** |

              | E | **Bsus4** | **Asus2** | **Bsus4** |

           E   **Bsus4**

Verse 3   Yes I think I'm okay,

Aadd9   **Bsus4**

  I walked into the door again

E   **Bsus4**

  Well, if you ask that's what I'll say,

Aadd9   **Bsus4**   **C♯m7**

  And it's not your business anyway._____

          Bsus4

I guess I'd like to be alone

C♯m7   **Bsus4**   **Aadd9**

  With nothing broken, nothing thrown,

          Bsus4

Just don't ask me how I am,

Aadd9   **Bsus4**

  Just don't ask me how I am,

Aadd9   **Bsus4**

  Just don't ask me how I am.

          E   **Bsus4**

Verse 4   My name is Luka,

Asus2   **Bsus4**

  I live on the second floor

E   **Bsus4**

  I live upstairs from you

Asus2   **Bsus4**

  Yes I think you've seen me before.

C♯m7   **Bsus4**

  If you hear something late at night

C♯m7   **Bsus4**

  Some kind of trouble

              Aadd9

Some kind of fight,

             Bsus⁴
Just don't ask me what it was,

  Aadd⁹   **Bsus⁴**
  Just don't ask me what it was,

  Aadd⁹   **Bsus⁴**
  Just don't ask me what it was.

  C♯m⁷   **Bsus⁴**   **C♯m⁷**
  They only hit   until you cry

             Bsus⁴   **Asus²**—
And after that   you don't ask why

             Bsus⁴
You just don't argue anymore,

  Asus²   **Bsus⁴**
  You just don't argue anymore,

  Asus²   **Bsus⁴**
  You just don't argue anymore.

Outro

E	Bsus⁴	Asus²	Bsus⁴	
E	Bsus⁴	Asus²	Bsus⁴	
C♯m	Bsus⁴	Asus²	Bsus⁴	
E	‖			

Malibu

Words & Music by
Courtney Love, Eric Erlandson & Billy Corgan

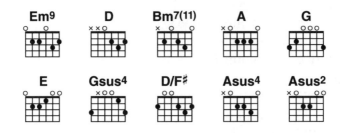

Intro ‖: Em9 | D | Bm7(11) | A :‖

Verse 1

Em9   D
Crash and burn

     Bm7(11)   A
All the stars explode tonight.

Em9   D
How'd you get so desperate?

     Bm7(11)   A
How'd you stay alive?

Em9   D
Help me please

      Bm7(11)   A
Burn the sorrow from your eyes,

     Em9   D
Oh, come on be alive again

Bm7(11)   A
Don't lay down and die.

Chorus 1

      G
Hey, hey

E   D
  You know what to do,

A   G E   D A
  Oh, baby, drive away   to Malibu.

Verse 2

Em9　　D
Get well soon

　　　　　　　Bm7(11) A
Please don't go any higher.

Em9　　　　　D
How are you so burnt when

　　　　Bm7(11)　　A
You're barely on fire?

Em9　　　D
Cry to the angels

　　　　　Bm7(11)
I'm gonna rescue you,

　　　　　　A　　　　　　Em9　D
I'm gonna set you free tonight, baby

Bm7(11)　　A
Pour over me.

Chorus 2

　　　G
Hey, hey

E　　　　　　　　　　　D
　We're all watching you,

A　　　　　　G　E　　　D
　Oh, baby, fly away　 to Malibu.

A　　　　　G
　Cry to the angels,

E　　　　　　　　　　　D
　And let them swallow you.

A　　　　　　　G
　Go and part the sea

E　　　　D　A
Yeah, in Malibu.

Bridge

　　　　Gsus4　　D/F♯
And the sun goes down

　　　　　　　A　　(Asus4　A
I watch you slip away

Asus2　A)　　Gsus4　　D/F♯
And　　　the sun goes down

　　　　　　A　　(Asus4　A)
I walk into the waves.

　　　　Gsus4　　D/F♯
And the sun goes down

　　　　　　A　　(Asus4　A
I watch you slip away

Asus2　A) G　　　　D/F♯　A　(Asus4　A)
　And I　watched, _____

cont.

     Gsus4
And I knew

D/F♯   **A** **(Asus4 A)**
Love would tear you apart.

     Gsus4
Oh and I knew

  D/F♯   **A** **E**
The darkest secret of your heart.

Chorus 3   **G**
Hey, hey

E   **D**
 I'm gonna follow you

A   **G**
 Oh baby, fly away

E   **D**
Yeah, to Malibu.

A   **G**
 Oceans of angels,

E   **D**
 Oceans of stars,

A   **G E**
 Down by the sea is where you

     D **A**
Drown your scars, oh-o

Outro   **G**   **E**
I can't be near you

   D **A**
The light just radiates,

G   **E**
I can't be near you

   D
The light just radiates.

Martha's Harbour

Words & Music by
Julianne Regan, Tim Bricheno & Andrew Cousin

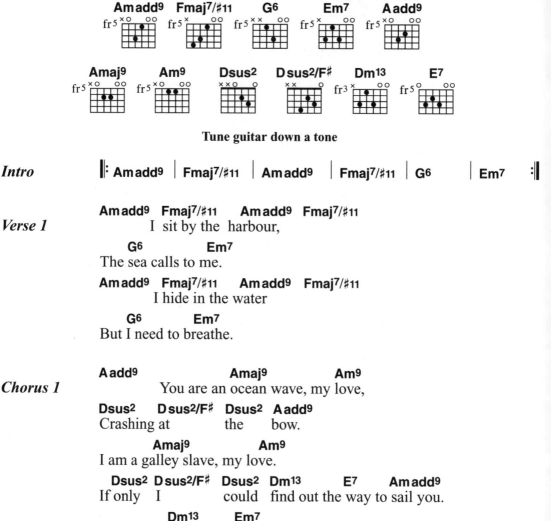

Tune guitar down a tone

Intro ‖: Amadd9 | Fmaj7/#11 | Amadd9 | Fmaj7/#11 | G6 | Em7 :‖

Verse 1

   Amadd9 Fmaj7/#11   Amadd9 Fmaj7/#11
     I sit by the harbour,

   G6   Em7
The sea calls to me.

   Amadd9 Fmaj7/#11   Amadd9 Fmaj7/#11
     I hide in the water

   G6   Em7
But I need to breathe.

Chorus 1

   Aadd9   Amaj9   Am9
     You are an ocean wave, my love,

Dsus2 Dsus2/F# Dsus2 Aadd9
Crashing at   the   bow.

     Amaj9   Am9
I am a galley slave, my love.

   Dsus2 Dsus2/F# Dsus2 Dm13   E7   Amadd9
If only   I   could find out the way to sail you.

     Dm13   Em7
Maybe I'll just stow away. ____

Link | Amadd9 | Fmaj7/#11 | Amadd9 | Fmaj7/#11 | G6 | Em7 ‖

Verse 2

Am add9   Fmaj7/#11   Am add9   Fmaj7/#11
      I've been run aground,

   G6   Em7
So sad for a sailor.

Am add9   Fmaj7/#11   Am add9   Fmaj7/#11
    I felt safe and sound

   G6   Em7
But needed the danger.

Chorus 2

A add9   Amaj9   Am9
     You are an ocean wave, my love,

Dsus2   Dsus2/F# Dsus2 A add9
Crashing at   the   bow.

    Amaj9   Am9
I am a galley slave, my love.

  Dsus2 Dsus2/F# Dsus2 Dm13   E7   Am add9
If only   I   could find out the way to sail you.

      Dm13   E7
Maybe I'll just stow away. ____

Chorus 3

A add9   Amaj9   Am9
     You are an ocean wave, my love,

Dsus2   Dsus2/F# Dsus2 A add9
Crashing at   the   bow.

    Amaj9   Am9
I am a galley slave, my love.

  Dsus2 Dsus2/F# Dsus2 Dm13   E7   Am add9
If only   I   could find out the way to sail you.

      Dm13   Em7
Maybe I'll just stow away. ____

Outro

| Am add9 | Fmaj7/#11 | Am add9 | Fmaj7/#11 | Am add9 |
                                  Stow a - way,

| Fmaj7/#11 | Am add9 | Fmaj7/#11 | Am add9 |
                     Stow a - way.

Merry Go Round

Words & Music by
Victoria Williams

C   B♭   F/A   F   Csus2/4   Csus4

x4

Intro   ‖: C   B♭ | F/A   B♭ :‖

Verse 1

C   B♭
Inside is outside
F   B♭
  Everywhere no one can hide.
C   B♭
  Sitting in a door   jam,
        F   B♭
There was a quiet figure of a man.
        C   B♭
I'm used to embellishments
        F   B♭
Acquired   from establishments
        C   B♭
But improvised through ethics
        F
Beyond the wide intelligence
              B♭ F C
His actions, not his words.

Verse 2

                      B♭   F   B♭
Upon one sample heard of our toes on the free-way
        C   B♭   F
There came one, while though small, enthusiastic
B♭
  Hooray!
        C   B♭
But my prayer receded far away
        F   B♭
In the middle of the fiery day
        C   Csus2/4
She turned and made her getaway.

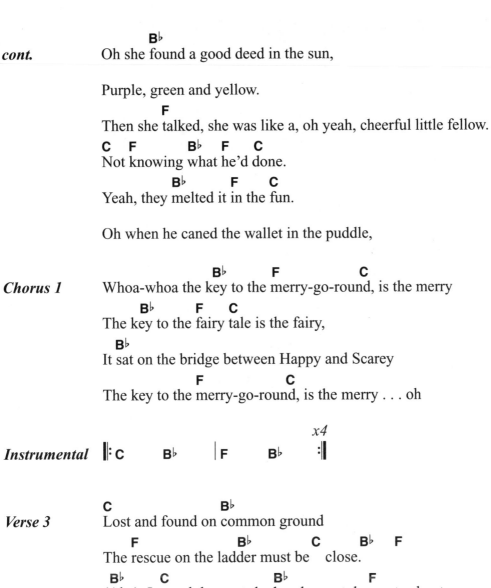

cont.

     B♭
Oh she found a good deed in the sun,

Purple, green and yellow.
      F
Then she talked, she was like a, oh yeah, cheerful little fellow.
C **F**   **B♭** **F** **C**
Not knowing what he'd done.
     B♭   **F**   **C**
Yeah, they melted it in the fun.

Oh when he caned the wallet in the puddle,

Chorus 1
      B♭   **F**   **C**
Whoa-whoa the key to the merry-go-round, is the merry
  B♭   **F** **C**
The key to the fairy tale is the fairy,
  B♭
It sat on the bridge between Happy and Scarey
    F   **C**
The key to the merry-go-round, is the merry . . . oh

         x4
Instrumental ‖: **C**   **B♭** |**F** **B♭** :‖

Verse 3
C   **B♭**
Lost and found on common ground
   F   **B♭**   **C** **B♭** **F**
The rescue on the ladder must be   close.
B♭ **C**   **B♭**   **F**
(Aha), Instead they got the brushes out, began to shout
   B♭   **C** **B♭** **F**
And   painted every room.
C **F** **B♭** **F**   **C**
Not knowing what they'd done
     B♭   **F**   **C**
Yeah, they painted in   the sun

Oh when many came to join and discover,

Chorus 2

                  Bb   F   C
Oh-whoa, the key to the merry-go-round, is the merry

        Bb   F   C
The key to the fairy tale is the fairy.

        Bb   F   C
The key to the merry-go-round, is the merry

           Bb   F   C
The key   to the fairy tale is the fairy

       Bb
It sat on the bridge between Happy and Scary.

Verse 4

          C   Bb   F
Too long did the young man tarry

        Bb
Who had stood, the good, cold forming masses.

       C   Bb   F   Bb
Now male, now sticky, the dough like molasses

        C Bb   F   Bb
Why I discuss,

        C   Bb   F   Bb   C Bb   F   Bb
Why I _____ discuss

        C   Bb   F   Bb
Why I discuss,

    C   Bb   F   Bb |C |C |C |C |
   Why I _____ discuss.

Link |C |Csus4 |C |Csus4 |

Chorus 3

           C   Csus4
Oh the key   to the merry-go-round, is the merry,

           C
The key   to the merry-go-round, is the merry,

The key to the merry-go-round, is the merry,

        Bb   F   C
The key   to the merry-go-round, is the merry,

        Bb   F   C
The key   to the merry-go-round, is the merry.

Midnight At The Oasis

Words & Music by
David Nichtern

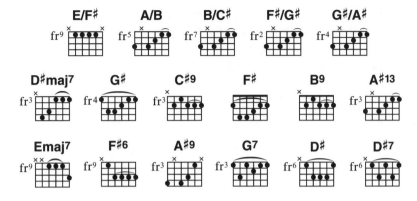

Intro | E/F♯ A/B B/C♯ | F♯/G♯ G♯/A♯ |

Verse 1

D♯maj7   G♯ C♯9
   Midnight at the oa - sis

D♯maj7   G♯ C♯9
   Send your camel to bed

D♯maj7   G♯ C♯9
   Shadows paintin' our fac - es

F♯ B9 F♯/G♯   A♯13
Traces of romance in our heads.

D♯maj7   G♯ C♯9
   Heaven's holdin' a half-moon,

D♯maj7   G♯ C♯9
   Shinin' just for us,

D♯maj7   G♯ C♯9 F♯ B9
   Let's slip off to a sand dune, real soon

F♯/G♯   A♯13
And kick up a little dust.

Chorus 1

Emaj7 F♯6 A/B   B/C♯
Come on, Cactus is our friend

Emaj7 F♯6   A/B B/C♯
He'll point out the way

Emaj7 F♯6 A/B   B/C♯
Come on, till the evenin' ends

F♯/G♯   A♯9
Till the evenin' ends.

Verse 2

D♯maj⁷   G♯   C♯9
   You don't have to answer

D♯maj⁷   G♯   C♯9
   There's no need to speak,

D♯maj⁷   G♯ C♯9 F♯ B9
   I'll be your belly dancer,   prancer

   F♯/G♯   A♯13
And you can be my sheik.

Guitar Solo

$\|$: D♯maj⁷ | G♯   C♯9 :$\|$ ^{x3} F♯ B9 | F♯/G♯ A♯13 |

$\|$: Emaj⁷ F♯6 | A/B   B/C♯ :$\|$ ^{x3} F♯/G♯ A♯9 |

Verse 3

D♯maj⁷   G♯ C♯9
   I know your Daddy's a sultan

D♯maj⁷   G♯   C♯9
   A nomad known to all,

D♯maj⁷   G♯ C♯9   F♯ B9
   With fifty girls to attend him, they all send him

F♯/G♯   A♯13
Jump at his beck and call.

D♯maj⁷   G♯   C♯9
   But you won't need no harem honey

D♯maj⁷   G♯   C♯9
   When I'm by your side

D♯maj⁷   G♯ C♯9 F♯ B9
   And you won't need no camel,   no, no

      F♯/G♯   A♯9
When I take you for a ride.

Chorus 2

Emaj⁷ F♯6 A/B   B/C♯
Come on, Cactus is our friend

Emaj⁷ F♯6   A/B B/C♯
He'll   point out the way,

Emaj⁷ F♯6 A/B   B/C♯
Come on, till the evenin' ends

F♯/G♯   A♯9
Till the evenin' ends.

Verse 4

D♯maj7   G♯ C♯9
     Midnight at the oa - sis

D♯maj7   G♯ C♯9
     Send your camel to bed

D♯maj7   G♯   C♯9
     Got shadows paintin' our fac - es

     F♯ B9   F♯/G♯   A♯13
And traces of romance in our heads._____

Outro   ‖: G♯   G7 | D♯   D♯7   :‖   *Repeat to fade*

Miss Chatelaine

**Words & Music by
k.d. lang & Ben Mink**

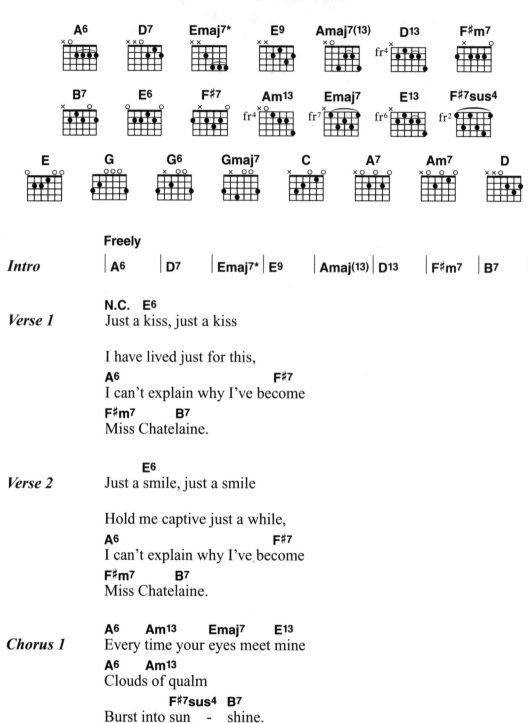

Freely

Intro

| A6 | D7 | Emaj7* | E9 | Amaj(13) | D13 | F#m7 | B7 | |

Verse 1

N.C.   E6
Just a kiss, just a kiss

I have lived just for this,
A6   F#7
I can't explain why I've become
F#m7   B7
Miss Chatelaine.

Verse 2

E6
Just a smile, just a smile

Hold me captive just a while,
A6   F#7
I can't explain why I've become
F#m7   B7
Miss Chatelaine.

Chorus 1

A6   Am13   Emaj7   E13
Every time your eyes meet mine
A6   Am13
Clouds of qualm
          F#7sus4   B7
Burst into sun   -   shine.

Verse 3

      E6
Just a sigh, just a sigh

Words my love just reply,
A6   **F♯7**
I can't explain why I've become
F♯m7   **B7**
Miss Chatelaine
E **E6**   **E** **E6**
   Miss Chatelaine.

Instrumental | G   G6 | Gmaj7 G6 | G   G6 | G |

                  | C | C | A7 | Am7 | D |

Verse 4

      E6
Just a smile, a smile

                  N.C.   **E6**
Hold me captive just a while,
A6   **F♯7**
I can't explain why I've become
F♯m7   **B7**
Miss Chatelaine.

Chorus 2

A6   **Am13**   **Emaj7**   **E13**
Every time your eyes meet mine
A6   **Am13**
Clouds of qualm

              F♯7sus4 **B7**
Burst into sun -   shine.

Verse 5

      E6
Just a kiss, just a kiss

I have lived just for this,
Amaj7(13)   **F♯7**
I can't explain why I've become
F♯m7   **B7**
Miss Chatelaine.

Outro

     E6
Miss Chatelaine,

Miss Chatelaine,

Miss Chatelaine,

Miss Chatelaine.

Mysteries

Words & Music by
Beth Gibbons & Paul Webb

Gm   C   F   Dm   B♭   D7sus4   Dm7   B♭add#11

Intro | Gm | Gm | Gm   ‖

Verse 1

    Gm   C   F
God knows how I adore life,
        Dm   B♭   Gm   C
When the wind turns on the shore lies another day,
      F
I cannot ask for more.

Bridge 1

        Dm   B♭
When the time bell blows my heart
    Gm   C
And I have scored a better day,
       F
Well nobody made this war of mine.

Chorus 1

        Dm   B♭
And the moments that I enjoy
       Gm   C
A place of love and mystery,
       F
I'll be there anytime.
    Dm
Oh mysteries of love
     B♭
Where war is no more
Gm C   F
I'll be there anytime.

Instrumental ‖: Dm   B♭ | Gm C | F :‖

Bridge 2

         Dm   **B♭**
When the time bell blows my heart

    Gm   **C**
And I have scored a better day,

        F
Well nobody made this war of mine.

Chorus 2

      Dm   **B♭**
And the moments that I enjoy

     Gm   **C**
A place of love and mystery

      F
I'll be there anytime.

Dm
Mysteries of love,

   B♭
Where war is no more

Gm **C**   **F**
I'll be there anytime.

Outro

Not A Pretty Girl

Words & Music by
Ani DiFranco

Em7 Gsus2 Csus2 Dsus2 Asus2

Tune guitar

⑥ = E   ③ = G
⑤ = A   ② = B
④ = B   ① = D

Capo second fret

Intro ‖: Em7 | Gsus2 | Csus2 | Dsus2 :‖

Verse 1

Em7　　　　Gsus2
I am not a pretty girl
Csus2　　　　　Dsus2
　　That is not what I　do,
　　　　Em7　　　　　Gsus2
I ain't no damsel in distress
　　　　Csus2　　　　Dsus2
And I don't need to be rescued so.
　　　　Em7　　Gsus2
So put me down punk
　　　　Csus2　　　　　Dsus2
Wouldn't you prefer a maiden fair?
　　　　Asus2　　　　　　　　Csus2
Isn't there a kitten stuck up a tree somewhere?

Verse 2

　　Em7　　　　　Gsus2
I am not an angry girl,
　　　Csus2　　　　　Dsus2
But it seems like I've got everyone fooled.
　　　　　Em7　　　　　　　　Gsus2
Every time I say something they find hard to hear
　　　Csus2　　　　　　Dsus2
They chalk it up to my anger and never to their own fear.
　　Em7　　　　Gsus2
And imagine you're a girl,
　　　Csus2　　Dsus2
Just trying to finally come clean

cont.
                Em⁷   **Gsus²**

Knowing full well they'd prefer you were dirty

Csus²   **Dsus²**

And smiling.

          Em⁷   **Gsus²**

And I am sorry

       Csus²   **Dsus²**

I am not a maiden fair

             Asus²   **Csus²**

And I am not a kitten stuck up a tree somewhere.

Instrumental ‖: **Em⁷** | **Gsus²** | **Csus²** | **Dsus²**   :‖

Verse 3
                Em⁷   **Gsus²**

And generally, my generation

             Csus²   **Dsus²**

Wouldn't be caught dead working for the man

           Em⁷   **Gsus²**

And generally I agree with them

             Csus²   **Dsus²**

Trouble is, you gotta have yourself and alternate plan.

         Em⁷   **Gsus²**

And I have earned my disillusionment

         Csus²   **Dsus²**

I have been working all of my life

         Em⁷   **Gsus²**

And I am a patriot

         Csus²   **Dsus²**

I have been fighting the good fight.

             Em⁷   **Gsus²**

And what if there are no damsels in distress

       Csus²   **Dsus²**

What if I knew that and I called your bluff?

          Asus²

Don't you think every kitten figures out how to get down

Csus²

Whether or not you ever show up.

Coda
Em⁷   **Gsus²**   **Csus²**   **Dsus²**
                     I   am not a

Em⁷   **Gsus²**   **Csus²**   **Dsus²**
Pretty girl,   I   don't really want to be a

Em⁷   **Gsus²**   **Csus²**   **Dsus²**
Pretty girl,   I   want to be more than a

Em⁷   **Gsus²**   **Csus²**   **Dsus²**
Pretty girl.

    ‖: **Em⁷** | **Gsus²** | **Csus²** | **Dsus²** :‖ **Em⁷**   ‖

No Mermaid

Words & Music by
Sinéad Lohan

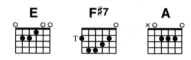

Capo first fret

Intro |(E) |(E) |(E) |(E)   ‖E |E |E |E |

|E |E |E |E |

Verse 1

E
   We went down to the edge of the water
F♯7
   You were afraid to go in,
A
   You said there might be sharks out there in the ocean
      E
And I said I'm only going for a swim.

And I was swimming around in a circle,
F♯7
   I wasn't always in view
A
   You said we might get into red flag danger
E
   And I am alone when I'm not with you.

Chorus 1

    A
But I am no mermaid, I am no mermaid,
   E
And I am no fisherman's slave.
A
I am no mermaid, I am no mermaid,
  E
I keep my head above the waves.

Verse 2

     E
      We were swinging from the centre of the ceiling

F#7
  You were afraid to give in,

A
  I said I know I'll always live for this feeling

     E
And you closed your eyes you said, never again.

And I was dancing in the middle of the desert

F#7
  You said we'll burn under the hot sun,

A
  I said I'd rather be the colour of pleasure

    E
Than watch like you from under the thumb.

     A
Chorus 2   And I am no mermaid, I am no mermaid,

    E
And I am no fisherman's slave.

A
I am no mermaid, I am no mermaid,

   E
I keep my head above the waves.

     E
Verse 3   We went down to the edge of the water

F#7
  You were afraid to go in,

A
  You said there might be sharks out there in the ocean

     E
And I said I'm only going for a swim.

And I was living around in a circle

F#7
  I wasn't always in view

A
  You said we might get into red flag danger

E
  And I am alone when I'm not with you.

Chorus 3

> A
> But I am no mermaid, I am no mermaid,
>
>   E
> And I am no fisherman's slave.
>
> A
> I am no mermaid, I am no mermaid,
>
>   E
> I keep my head above the waves.

Chorus 4

>   A
> And I am no mermaid, I am no mermaid,
>
>   E
> And I am no fisherman's slave.
>
> A
> I am no mermaid, I am no mermaid,
>
>   E
> I keep my head above the waves.

x2

Instrumental ‖: A | A | A | A | E | E | E | E :‖

Outro ‖: E | E | E | E :‖   *Repeat to fade*

Ode To My Family

Words & Music by
Dolores O'Riordan & Noel Hogan

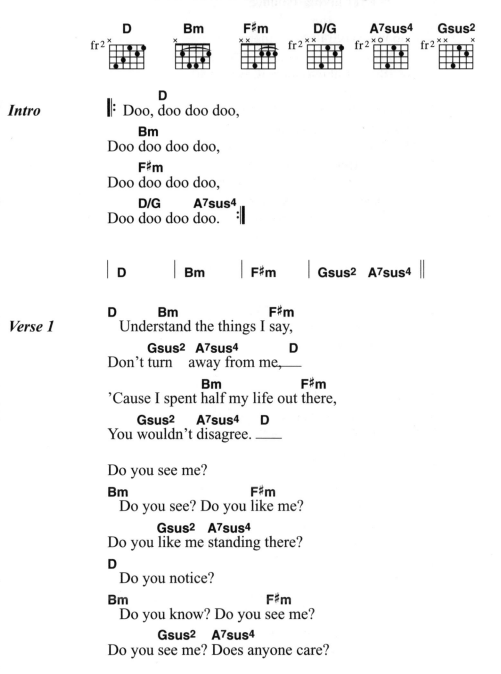

Intro

D
‖: Doo, doo doo doo,

Bm
Doo doo doo doo,

F♯m
Doo doo doo doo,

D/G   **A7sus4**
Doo doo doo doo.   :‖

| D | Bm | F♯m | Gsus2   A7sus4 ‖

Verse 1

D   **Bm**   **F♯m**
  Understand the things I say,

Gsus2 **A7sus4**   **D**
Don't turn   away from me,——

                Bm   **F♯m**
'Cause I spent half my life out there,

Gsus2   **A7sus4**   **D**
You wouldn't disagree. ——

Do you see me?

Bm   **F♯m**
  Do you see? Do you like me?

      Gsus2   **A7sus4**
Do you like me standing there?

D
  Do you notice?

Bm   **F♯m**
  Do you know? Do you see me?

      Gsus2   **A7sus4**
Do you see me? Does anyone care?

Chorus 1

      D   Bm   F♯m
     Unhappiness where's when I was young

          Gsus2   A7sus4   D
And we didn't give a damn, ____

             Bm
'Cause we were raised

       F♯m   Gsus2 A7sus4   D
To see life as fun and take it if we can. ____

           Bm   F♯m
My mother, my mother she hold me,

      Gsus2   A7sus4
She hold me when I was out there.

   D   Bm   F♯m
  My father, my father he liked me,

      Gsus2   A7sus4
Oh, he liked me. Does anyone care?

   | D | Bm | F♯m | Gsus2 A7sus4 ‖

Verse 2

   D   Bm   F♯m
   Understand what I've become,

   Gsus2 A7sus4   D
It wasn't my design, ____

           Bm
And people ev'rywhere think

F♯m   Gsus2 A7sus4   D
Something better   than I am. ____

          Bm
I miss you,

         F♯m
I miss, 'cause I liked it,

       Gsus2   A7sus4
'Cause I liked it when I was out there.

   D   Bm
  Do you know this?

               F♯m
Do you know you did not find me?

       Gsus2 A7sus4
You did not find,   does anyone care?

110

D   Bm   F♯m
Unhappiness where's when I was young

        Gsus2   A7sus4   D
And we didn't give a   damn, ____

              Bm
'Cause we were raised

      F♯m   Gsus2   A7sus4   D
To see life as fun and take it if we can. ____

        Bm   F♯m
My mother, my mother she hold me,

     Gsus2   A7sus4
She hold me when I was out there.

D   Bm   F♯m
  My father, my father he liked me.

      Gsus2
Oh, he liked me.

     A7sus4   D
Does anyone care? ____

            Bm
Does anyone care? ____

            F♯m
Does anyone care? ____

            Gsus2
Does anyone care? ____

     A7sus4   D
Does anyone care? ____

            Bm
Does anyone care? ____

            F♯m
Does anyone care? ____

            Gsus2   A7sus4
Does anyone care? ____

Outro

        D
‖: Doo, doo doo doo,

    Bm
Doo doo doo doo,

    F♯m
Doo doo doo doo,

    D/G   A7sus4
Doo doo doo doo   :‖   *Play 3 times*

| D | Bm | F♯m | D   ‖

Oh Daddy

Words & Music by
Christine McVie

Bbmaj7*	Cadd9	Dm	Gm	Am7	Bbmaj7	C

Intro　　　‖: Bbmaj7* Cadd9 | Dm　　　 :‖

Verse 1

     Dm
Oh Daddy,

You know you make me cry
      Cadd9
How can you love me?
        Dm
I don't understand why.

Oh Daddy,

If I can make you see,
         Cadd9
If there's been a fool around
     Dm
It's got to be me,
  Gm7 Am7　　**Dm**
Yes,　 it's got to be me.

Verse 2

     Dm
Oh Daddy,

You soothe me with your smile
      Cadd9
You're letting me know
         Dm
You're the best thing in my life.

Oh Daddy,

If I can make you see,
      Cadd9
If there's been a fool around

cont.

             Dm
It's got to be me
     Gm7 **Am7**   **Dm**
Yes,   it's got to be me.

Chorus 1

B♭maj7   **C**   **Dm**
  Why are you right when I'm so wrong?
B♭maj7 **C**   **Dm**
  I'm so weak but you're so strong.
B♭maj7   **C**   **Dm**
  Everything you do is just alright,
    Gm7   **Am7**   **Dm**
And I can't walk away from you, baby, if I tried.

Instrumental | Dm | Dm | C | Dm |

                | Dm | Dm | C | Dm   Gm7 Am7 | Dm |

Chorus 2   As Chorus 1

Verse 3

     Dm
Oh Daddy,

You soothe me with your smile
                Cadd9
You're letting me know
                 Dm
You're the best thing in my life.

Oh Daddy,

If I can make you see,
                Cadd9
If there's been a fool around
Gm7   **Am7**   **Dm**
  It's got   to be me
    Gm7   **Am7**   **Dm**
Yes, it's got   to be me,
    Gm7   **Am7**   **Dm**
Yes, it's got   to be me,
    Gm7   **Am7**   **Dm**   **Gm7**   **Am7**
Yes, it's got   to be me. _____

Outro   ‖: **Dm**   **Gm7 Am7** :‖   *Repeat to fade*

Part Of The Process

Words & Music by
Paul Godfrey, Ross Godfrey & Skye Edwards

Dm   C   G   D   A

Intro | Dm | Dm | Dm | Dm |

Verse 1

Dm
    Angry faces, cursing loud

Changing places, falling proud,
C   **G**
    Behind the bomb   no one cares.
Dm
    Time is money

We're taught to tear.

Chorus 1

D
    It's all part of the process,
A   **C**
    We all love looking down
                G
All we want is some success

But the chance is never around.
D
    It's all part of the process
A   **C**
    We all love looking down
                G
All we want is some success

But the chance is never around.

Link 1 | Dm | Dm | Dm | Dm |

Verse 2

Dm
How can we show, how to feel?

Situation ain't so real,
C   **G**
Chopping wood   won't stop the rage
Dm
We need targets on war we wage.

Chorus 2

D
It's all part of the process
A   **C**
We all love looking down
               G
All we want is some success

But the chance is never around.
D
It's all part of the process
A   **C**
We all love looking down
               G
All we want is some success

But the chance is never around.

Violin Solo | **D** | **A** | **C** | **G** |

Verse 3

Dm
You smash they grab, 'til it's gone

Attempt to grow and fix undone.
C   **G**
And I am the way   it's all to scale,
Dm
We're all companions on which we sail.

Chorus 3

D
It's all part of the process
A   **C**
We all love looking down
               G
All we want is some success

But the chance is never around.

cont.

> D
> It's all part of the process
> A   C
> We all love looking down
>   G
> All we want is some success
>
> But the chance is never around.

Chorus 4

> D
> And it's all part of the process
> A   C
> We all love looking down
>   G
> All we want is some success
>
> But the chance is never around.
> D
> And it's all part of the process
> A   C
> We all love looking down
>   G
> All we want it some success
>
> And the chance . . .

Outro | D | A | C | G | D   ‖

Patience Of Angels

**Words & Music by
Boo Hewerdine**

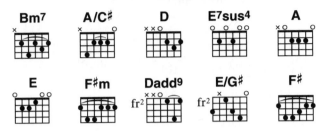

Bm7   A/C#   D   E7sus4   A

E   F#m   Dadd9   E/G#   F#

x4

Intro ‖: Bm7 A/C# | D E7sus4 :‖

Verse 1
             A   E
From the top of the bus
     F#m   Dadd9
She thought she saw him wave
          A   E
She saw   Tuesdays and forgetfulness
     F#m   Dadd9
And a little money saved
        Bm7   E
Does she know? I don't know
        Bm7   E
But from here I can tell

Chorus 1
             A E/G#   Bm7   D
That it would try   the patience of angels
   E   A E/G#   Bm7   D   E
It would try   the patience of angels.

| Bm7 A/C# | D E7sus4 | Bm7 A/C# | D E7sus4 |
Angels.

Verse 2
           A   E
And you know something's wrong
     F#m   Dadd9
When the morning hurts your eyes,
     A   E
And the baby won't stop crying
     F#m   Dadd9
You'll be waiting till you die.

cont.
        Bm7   **E**
Would I be any good?
        Bm7   **E**
And if I was would I find

Chorus 2
        A **E/G♯**   **Bm7** **D**
That it would try   the patience of angels
E   **A** **E/G♯**   **Bm7** **D** **E**
It would try   the patience of angels.

Verse 3
        A   **E**   **F♯m**   **Dadd9**
There's a door in a wall in a house in a street
     A   **E**   **Bm7**   **D**
In a town where no-one knows her name,
               Bm7 **A/C♯** **D** **E7sus4**
She's the patience of an - gels.

Instrumental   *x2*
‖: **Bm7** **A/C♯** | **D**   **E7sus4** :‖

| **A** | **F♯** |

Verse 4
        Bm7   **E**
Does she know? I don't know
        Bm7   **E**
But from here I can tell,
        A   **E**   **F♯m**   **Dadd9**
There's a door in a wall in a house in a street
     A   **E**   **F♯m**   **Dadd9**
In a town where no-one knows her name_____
        A   **E**   **F♯m**   **Dadd9**
There's a door in a wall in a house in a street
     A   **E**   **F♯m**   **D**
In a town where no-one knows her name,
               Bm7 **A/C♯** **D**
She's the patience of an - gels
      E7sus4 **Bm7** **A/C♯** **D**   **E7sus4**
The patience of   angels.

Link | **Bm7** **A/C♯** | **D**   **E7sus4** | **Bm7** **A/C♯** | **D** |

Chorus 3

E⁷sus⁴ A E/G♯   Bm⁷ D
It would try the patience of angels,

E   A E/G♯   Bm⁷ D
It would try the patience of angels,

E   A E/G♯   Bm⁷ D
It would try the patience of angels,

E   A E/G♯   Bm⁷
It would try the patience of angels.

Outro

| D E⁷sus⁴ | Bm⁷ A/C♯ | D E⁷sus⁴ |
   Oh   angels,   ooh

| Bm⁷ A/C♯ | D E⁷sus⁴ |
 an - gels

            x4

‖: Bm⁷ A/C♯ | D E⁷sus⁴ :‖ Bm ‖
 (with improvised vocal)

Perfect

Words & Music by
Mark Nevin

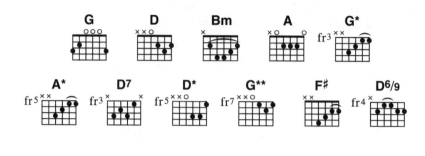

Verse 1

N.C.　　(G)　　　　　　　　　(D)
I don't want half-hearted love affairs,

　　　　(G)　　　　　(D)
I need someone who really cares.

　　　　　(G)　　　　　　(Bm)
Life is too   short to play silly games,

　　　　　　(G)　(A)　　　　D　G* A* D
I've promised myself   I won't do that again.

Chorus 1

D7　G*　　A* D*　　G** D*
It's got to be ___   perfect,

D7　G*　　A* D*　　G**　D*
It's got to be ___   worth it, yeah.

D7　G*　　　　　　　　F♯
Too many people take second best

Bm　　　　A　　　G
But I won't take anything less

　　　G*　　A*　G*　D
It's got to be, yeah, per - fect.

Verse 2

N.C.　　　　　(G)　　　　　　　　　　(D)
Young hearts are foolish, they make such mistakes;

　　　　　　(G)　　　　　　　　(D)
They're much too eager to give their love away.

　　　　　　(G)　　　　(Bm)
Well I have been   foolish too many times

　　　　(G)　　　(A)　　　　D　G* A* D
Now I'm determined   I'm gonna get it right.

Chorus 2

    D7   G*   A* D*   G** D*
It's got to be ___   perfect,

    D7   G*   A* D*   G**   D*
It's got to be ___   worth it, yeah.

     D7   G*   F♯
Too many people take second best

    Bm   A   G
But I won't take anything less

              G*   A*   G*   D
It's got to be, yeah, per - fect.

Solo

‖: G* | G* | D* G** | D* G** D* :‖

| G | G | Bm | Bm | G* | A* | D* G* | D   ‖

Verse 3

N.C.   (G)   (D)
Young hearts are foolish, they make such mistakes;

                  (G)   (D)
They're much too eager to give their love away.

                (G)   (Bm)
Well I have been   foolish too many times

           (G)   (A)   D   G* A* D
Now I'm determined   I'm gonna get it right.

Chorus 3

    D7   G*   A* D*   G** D*
It's got to be ___   perfect,

    D7   G*   A* D*   G**   D*
It's got to be ___   worth it, yeah.

    D7   G*   F♯
Too many people take second best

    Bm   A   G
But I won't take anything less.

              G*   A*   G*   D
It's got to be, yeah, per - fect,

    D7   G*   A* G*   D
It's got to be, ____ yeah, worth ____ it.

    D7   G*   A*   G*   D6/9
It's got to be, ____ per - fect.

Rotterdam

Words & Music by
Paul Heaton & David Rotheray

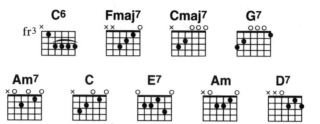

Intro

‖: C6 Fmaj7 | Cmaj7 Fmaj7 | C6 Fmaj7 | Cmaj7 Fmaj7 :‖

Verse 1

           C6   **Fmaj7**
And the women tug their hair

             Cmaj7   **Fmaj7**   **C6 Fmaj7** | **Cmaj7 Fmaj7** |
Like they're tryin' to prove it won't fall out.

    C6   **Fmaj7**
And all the men are gargoyles,

           Cmaj7 Fmaj7   **C6 Fmaj7** | **Cmaj7 Fmaj7** |
Dipped long in __ Irish stout.

    G7
The whole place is pickled,

                     Am7
The people are pickles for sure,

    G7
And no-one knows if they've done more here

             C   **E7**
Than they ever would do in a jar.

Chorus 1

                Am   **C**
This could be Rotterdam or anywhere,

Am   **C**
Liverpool or Rome,

           Am   **C**
'Cause Rotterdam is anywhere,

D7   **G7**
Anywhere alone,

              C6 Fmaj7 | **Cmaj7 Fmaj7** | **C6 Fmaj7** | **Cmaj7 Fmaj7** ‖
Anywhere alone.

Verse 2

        C6   **Fmaj7**
And everyone is blonde
      Cmaj7   **Fmaj7**   **C6 Fmaj7** | **Cmaj7 Fmaj7** |
And everyone is beautiful.
        C6   **Fmaj7**
And when blonde and beautiful are multiple
      Cmaj7   **Fmaj7**   **C6 Fmaj7** | **Cmaj7 Fmaj7** |
They become so dull and dutiful.
       G7
And when faced with dull and dutiful,
               Am7
They fire red warning flares.
     G7   **C**   **E7**
Battle-Khaki personality with red underwear.

Chorus 2   As Chorus 1

Verse 3 | **C6 Fmaj7** | **Cmaj7 Fmaj7** | **C6 Fmaj7** | **Cmaj7 Fmaj7** |
    G7
The whole place is pickled,
                 Am7
The people are pickles for sure,
    G7
And no-one knows if they've done more here
        C   **E7**
Than they ever would do in a jar.

               Am   **C**
Chorus 3   This could be Rotterdam or anywhere,
  Am   **C**
Liverpool or Rome,
      Am   **C**   **D7**   **G7**
'Cause Rotterdam is anywhere, anywhere alone.

               Am   **C**
Chorus 4   This could be Rotterdam or anywhere,
  Am   **C**
Liverpool or Rome,
      Am   **C**   **D7**   **G7**
'Cause Rotterdam is anywhere, anywhere alone.
              C6 Fmaj7 | **Cmaj7 Fmaj7** |
Anywhere alone.   Anywhere alo -

   ‖: **C6 Fmaj7** | **Cmaj7 Fmaj7**   :‖
   -ne.   Anywhere alo -

Polyester Bride

Words & Music by
Liz Phair

C　　G　　F　　D　　A　　G/B

Intro　　‖: C　G　C　G ｜ F　　G　　:‖

Verse 1

　　　　D　　　　A　　　G　　　　A
　　I was talking not　two days ago
　　D　　　　　A　　　　G　　　A
　　To a certain bartender I'm　lucky to know
　　D　　　　　A　　　G　　　　A
　　And I asked Henry, my bartending friend
　　D　　　　　A　　　　G　　　　　A
　　If I should bother dating unfamous men

And Henry said:

Bridge 1

　　C　　　G/B　　　　A
　　"You're lucky to even know me,
　　C　　　G/B　　　　A
　　You're lucky to be alive
　　C　　　G/B　　　A
　　You're lucky to be drinking here for free
　　　　　　　　　C　　　　　　G/B　　　　A
　　'Cause I'm a sucker for your lucky pretty eyes."

And then he said:

Chorus 1

　　C　　　　　　　　　G　　　F　　　G
　　"Do ya wanna be a polyester　bride?
　　C　　　　　G　　　　　　F　　　G
　　Do ya wanna hang your head and die?
　　C　　　　　　G　　F　　　　　　　　　G
　　Do ya wanna find alligator cowboy boots they just put on sale?
　　C　　　　　G　　　　　　　　　　F　　G　　C　　G/B
　　Do ya wanna flap your wings and fly away from here?"

Verse 2

D	A	G	A

And I was sitting not   two days ago

D	A	G	A

Feeling lonely 'cause I'm   just feeling low

D	A	G	A

And I asked Henry, my bartending friend

D	A	G	A

Why it is that there are those kind of men?

And Henry said:

Bridge 2

  C   G/B   A

"You're lucky to even know me

  C   G/B   A

You're lucky to be alive

  C   G/B   A

You're lucky to be drinking here for free

                C   G/B   A

'Cause I'm a sucker for your lucky pretty eyes."

And then he said:

Chorus 2

  C   G   F   G

"Do ya wanna be a polyester   bride?

  C   G   F   G

Do ya wanna hang your head and die?

  C   G   F   G

Do ya wanna find alligator cowboy boots they just put on sale?

  C   G   F G   C   G F

Do ya wanna flap your wings and fly away from here?

        G   C   G   F

Princess, do you really want to flap your wings and fly?"

Link

        F   C   G

"'Cause you, (you've got time)," he keeps telling me:

  F   C   G

"You, (you've got time)," but I don't believe him,

    F   C   G

"You, (you've got time)."

                F   C

I keep on pushing harder

                F   C

I keep on pushing farther away - ay

                F   G

But he keeps telling me, "Baby," he says "Baby, yeah."

<pre>
              C   G   C   G   F   G
Chorus 3   "Do ya wanna be a po - ly - ester bride?
              C   G   F   G
              Do ya wanna hang your head and die?
              C   G   F   G
              Do ya wanna find alligator cowboy boots they just put on sale?
              C   G   F   G   C
              Do ya wanna flap your wings and fly away from here?"

              C   G   F   G   C
Coda   "Do ya wanna be a polyester   bride? (away from here)
                  G   F   G   C
              Do ya wanna be a polyester   bride? (away from here)
                  G   F   G   C
              Do ya wanna be a polyester   bride? (away from here)
                  G   C
              Princess, do you really want to
              G   F   G   C
              Flap your wings and fly away from here?"
</pre>

Searchin' My Soul

Words & Music by
Vonda Shepard & Paul Gordon

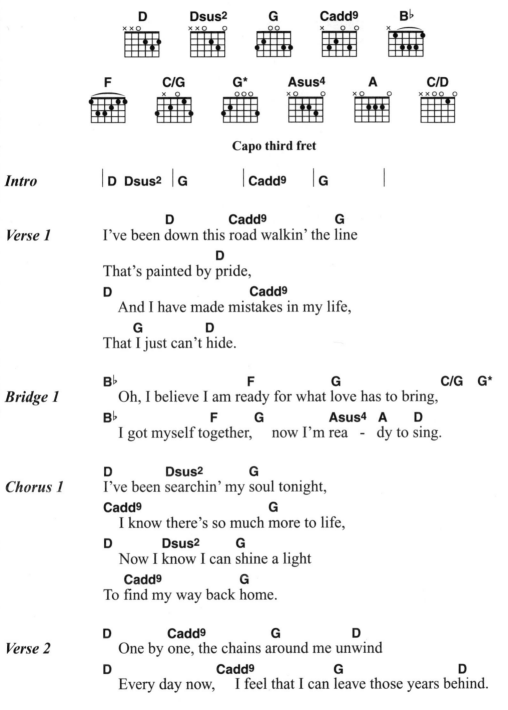

Capo third fret

Intro
| D Dsus² | G | Cadd⁹ | G | |

Verse 1
     D   **Cadd⁹**   **G**
I've been down this road walkin' the line
      D
That's painted by pride,
D   **Cadd⁹**
 And I have made mistakes in my life,
  G   **D**
That I just can't hide.

Bridge 1
B♭   **F**   **G**   **C/G** **G***
 Oh, I believe I am ready for what love has to bring,
B♭   **F** **G**   **Asus⁴** **A** **D**
 I got myself together, now I'm rea - dy to sing.

Chorus 1
D   **Dsus²**   **G**
I've been searchin' my soul tonight,
Cadd⁹   **G**
 I know there's so much more to life,
D   **Dsus²** **G**
 Now I know I can shine a light
 Cadd⁹   **G**
To find my way back home.

Verse 2
  D   **Cadd⁹**   **G**   **D**
 One by one, the chains around me unwind
D   **Cadd⁹**   **G**   **D**
 Every day now, I feel that I can leave those years behind.

Bridge 2

B♭   F   G   C/G G*
Oh, I've been thinking of you for a long time, _____

B♭   F   G   A
There's a side of my life where I've been bli - nd, and so . . .

Chorus 2

D   Dsus2   G
I've been searchin' my soul tonight,

Cadd9   G
I know there's so much more to life,

D Dsus2   G
Now I know I can shine a light

Cadd9   G
Everything gonna be alright Lord.

D   Dsus2   G
I've been searchin' my soul tonight

Cadd9   G
Don't wanna be alone in life,

D   Dsus2   G
Now I know I can shine a light

   Cadd9   G
To find my way back home.

Link | D C/D D | D   ‖

Middle

D   G   C G
Baby I been holding back now, my whole life

D
I've decided to move on now,

   A   G   (D)
Gonna leave all my worries behind.

Guitar Solo ‖: D Dsus2 | Cadd9 | G | D   :‖

Bridge 3

B♭   F   G   C/G G*
Oh, I believe I am ready for what love has to give,

B♭   F G   Asus4 A D
Got myself together, now I'm rea - dy to live.

Chorus 3

D   Dsus2   G
I've been searchin' my soul tonight,

Cadd9   G
I know there's so much more to life,

D   Dsus2   G
Now I know I can shine a light

Cadd9   G
Everything gonna be alright Lord.

D   Dsus2   G
I've been searchin' my soul tonight

Cadd9   G
Don't wanna be alone in life, oh no

D   Dsus2   G
Now I know I can shine a light

   Cadd9   G
To find my way back home.

Outro

D Dsus2	G	Cadd9	G	
D Dsus2	G	Cadd9	G	
D Dsus2	G	Cadd9	G	
D Dsus2	G	Cadd9	G	‖

Sexy Mama

Words & Music by
Sylvia Robinson, Harry Ray & Al Goodman

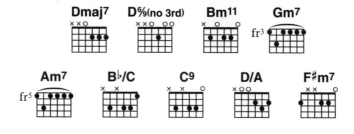

Dmaj7 Riff

Intro

‖: Dmaj7 D%(no 3rd) Dmaj7 | D%(no 3rd) Dmaj7 D%(no 3rd) |

| Dmaj7 D%(no 3rd) Dmaj7 | Bm11   :‖

Verse 1

Dmaj7 Riff
Come on baby,

                                              Bm11
Let me put my arms around you

Dmaj7 Riff
Come on sugar baby,

                                              Bm11
I'm so happy that I found you.

                  Gm7
I wanna   open up the love gates

                        Am7
Put our love in motion

        Gm7
I think in just a moment

                                Am7
There's gonna be a love explosion

                  Dmaj7 Riff
I can't help myself but feel like, I'm dreaming.

Link 1

| B♭/C | C9 | B♭/C | C9 |

                  D/A Bm11   D/A Bm11 D/A Bm11 D/A F#m7
None sweeter than you,   ba - by   you..

| *Instrumental* | Bm11 | Bm11 | Bm11 | Bm11 | Dmaj7 D%(no 3rd) Dmaj7 | |

| D%(no 3rd) Dmaj7 D%(no 3rd) | Dmaj7 D%(no 3rd) Dmaj7 | |

Bm11   **Dmaj7 Riff**

Verse 2   Give it to me now baby

Bm11   **Dmaj7 Riff**

  You said "come on Sexy Mama,

                   Bm11

Lay back and let me sooth you

Dmaj7 Riff

Take it easy baby

                   Bm11

Let me do what I love to do to you."

     Gm7

I wanna   open up the love gates

         Am7

Put our love in motion

  Gm7

I think in just a minute

          Am7

There's gonna be a love explosion

      Dmaj7 Riff

I can't help myself but feel like I'm dreaming.

Link 2 | B♭/C | C9 | B♭/C | C9 | |

          D/A Bm11   **D/A Bm11 D/A Bm11 D/A F♯m7**

None sweeter than you,   ba - by   you . . .

| *Instrumental* | Bm11 | Bm11 | Bm11 | Bm11 | Dmaj7 D%(no 3rd) Dmaj7 | |

| D%(no 3rd) Dmaj7 D%(no 3rd) | Dmaj7 D%(no 3rd) Dmaj7 | |

Bm11   **Dmaj7 Riff**

Verse 3   Give it to me now baby____

            Bm11

Ooh that love explosion,

Dmaj7 Riff   **Bm11**

  Gonna be a love explosion

Dmaj7 Riff   **Bm11** | Dmaj7 D%(no 3rd) Dmaj7 | |

  Ooh that love   explosion.

Outro | D%(no 3rd) Dmaj7 D%(no 3rd) | Bm11 ‖

Sitting Down Here

Words & Music by
Lene Marlin

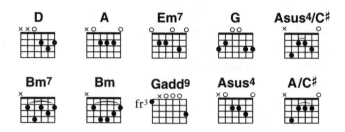

Intro
a capella vocal   I'm sitting down here but hey you can't see me . . .

Instrumental | D | A | Em7 | G   A   D | A | Em7 | G   A |

Verse 1

       G
Your words cut rather deeply,

       A
They're just some other lies

       D
I'm hiding from a distance,

       A
I've got to pay the price

       G
Defending all against it,

      A
I really don't know why

         Bm
You're obsessed with all my secrets,

       A
You always make me cry

       G
You seem to wanna hurt me

      A
No matter what I do

       D   **Asus4/C#**
I'm telling just a couple,

        Bm7   **A**
But somehow it gets to you

      G
But I've learned how to get revenge

        A   **Bm**   **Gadd9**
And I swear you'll experience that some day.

Chorus 1

          D
I'm sitting down here,

      A
But hey you can't see me,

Em⁷   **G**   **A**
Kinda invisible you don't sense my stay

D   **A**
Not really hiding, not like a shadow

Em⁷   **Bm**   **A**
Just thought I would join you for one day,

        D
I'm sitting down here,

     A   **Gadd⁹**
But hey you can't see me.

Verse 2

         G
I'm not trying to avoid you,

       A
Just don't wanna hear your voice

        D
When you call me up so often,

     A   **Asus⁴**
I don't really have a choice

      G
You're talking like you know me

   A
And wanna be my friend,

  Bm
But that's really too late now,

    A/C♯
I won't try it once again.

      G
You may think that I'm loser,

   A
That I don't really care

     D   **Asus⁴/C♯**
You may think that it's all forgotten,

    Bm⁷   **A**
But you should be aware

      G
'Cause I've learned to get revenge

    A   **Bm**   **Gadd⁹**
And I swear you'll experience that some day.

Chorus 2

    D
I'm sitting down here,

  A
But hey you can't see me,

Em⁷   **G**   **A**
Kinda invisible you don't sense my stay

D   **A**
Not really hiding, not like a shadow

    Em⁷   **Bm**   **A**
Just thought I would join you for one day

     D
I'm sitting down here,

  A
But hey you can't see me

Em⁷   **G**   **A**
Kinda invisible you don't sense my stay

D   **A**
Not really hiding, not like a shadow

    Em⁷   **Bm**   **A**
I sure do wanna join you for one day.

Guitar Solo |D |A |Em⁷ |G A |D |A |Em⁷ |G A |

Verse 3

    G
You seem to wanna hurt me

    A
No matter what I do

    D   **Asus⁴/C♯**
I'm telling just a couple,

     Bm⁷   **A**
But somehow it gets to you

    G
But I've learned how to get revenge

     A   **Bm**   **Gadd⁹**
And I swear you'll experience that some day.

Chorus 3

    D
‖: I'm sitting down here,

  A
But hey you can't see me,

Em⁷   **G**   **A**
Kinda invisible you don't sense my stay

D   **A**
Not really hiding, not like a shadow

    Em⁷   **Bm**   **A**
Just thought I would join you for one day. :‖   *Repeat to fade*

So Nice (Summer Samba)

Original Words by Paulo Sergio Valle
Music by Marcos Valle
English Words by Norman Gimbel

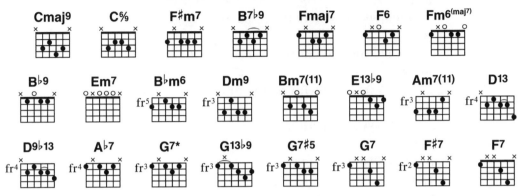

Intro

Percussion intro

| N.C. | N.C. | N.C. | N.C. | Cmaj9 | C% | Cmaj9 | C% | |

Verse 1

Cmaj9
Someone to hold me tight

That would be very nice,
F#m7
  Someone to love me right

B7♭9
  That would be very nice,

Fmaj7
Someone to understand

F6
  Each little dream in me,

Fm6(maj7)
Someone to take my hand

B♭9   **Em7**
  To be a team with me.

  B♭m6   **Dm9**   **Bm7(11)**
So nice, life would be so nice,

E13(♭9)   **Am7(11)**
If one day I find

D13 D9♭13   **Dm9**
  Someone who would take my hand

         A♭7   **G7***
And samba through life with me.

Verse 2

Cmaj9
Someone to cling to me

Stay with me right or wrong,
F♯m7
  Someone to sing to me
B7♭9
  Some little samba song
Fmaj7
  Someone to take my heart,
F6
  And give his heart to me
Fm6(maj7)
  Someone who's ready to
B♭9   **Em7**
  Give love a start with me.
   B♭m6   **Dm9**   **G13♭9**
Oh yeah, that would be so nice,
Cmaj9   **F6**   **Cmaj9** **G7♯5**
I could see you and me,   that would be nice!

Instrumental

Cmaj9	Cmaj9	F♯m7	B7♭9	
Fmaj7	F6	Fm6(maj7)	B♭9	
Em7	B♭m6	Dm9	G13♭9	
Cmaj9	F6	Cmaj9	G7♯5	

Verse 3

Cmaj9
Someone to hold me tight

That would be very nice,
F♯m7
  Someone to love me right
B7♭9
  That would be very nice,
Fmaj7
Someone to understand
F6
  Each little dream in me,
Fm6(maj7)
Someone to take my hand
B♭9   **Em7**
  To be a team with me.

B♭m6   **Dm9**   **Bm7(11)**
So nice, life would be so nice
E13(♭9)   **Am7(11)**
If one day I find
D13 D9♭13   **Dm9**
   Someone who would take my hand
          A♭7   **G7***
And samba through life with me.

Verse 4

Cmaj9
Someone to cling to me

Stay with me right or wrong,
F♯m7
   Someone to sing to me
B7♭9
   Some little samba song,
Fmaj7
Someone to take my heart
F6
   And give his heart to me,
Fm6(maj7)
   Someone who's ready to.
B♭9   **Em7**
   Give love a start with me
   B♭m6   **Dm9**   **G13♭9**
Oh yes, that would be so nice
Cmaj9   **Fmaj7** |**N.C.** |**N.C.** |
Should he be here with me, I could see it would be nice!

Outro |**Cmaj9** |**Fmaj7** |**Cmaj9 N.C.** |**N.C.** |

          |**G7 F♯7 F7**   **F♯7 G7** |**G7 F♯7 F7**   **F♯7 G7** |**N.C.** |**Cmaj9** ‖

A Soft Place To Fall

Words & Music by
Allison Moorer & Gwil Owen

C/G   G   C   Em   C*   Cm   D   F

Capo second fret

Intro | C/G | G | G |

Verse 1

```
  G              C            G        C/G
  Daylight has found me here     again
  G              C               G
  You can ask me anything, but where     I've been.
  Em                             C*         Cm
  Things that used to matter seem so     small,
  G                      D         G        C/G
  When you're looking for a soft place     to fall.
  G              C          G
  Don't misunderstand me, baby please,
                 C              G
  I didn't mean to bring back memories.
  Em                             C*          Cm
  You should know the reason why I     called,
  G                  D           G
  I was looking for a soft place     to fall.
```

Chorus

```
  C
  Looking for a soft place,
  F                  C       G
  Nothing more than a small taste.
                      D
Of a love that ended long     ago.
  C
  Looking for a place to hide,
  F             C   G
  A warm bed on a cold night

I didn't mean to hurt you,
      D
No,    no, no.
```

Violin Solo |G |C |Em |C |

|G |D |G |G ‖

Verse 2

G   C   G
Looking out your window at   the dawn,
                    C   G
Baby, when you wake up I'll   be gone.
Em   C*   Cm
  You're the one who taught me after   all,
G   D   G
  How to find a soft place   to fall.
Em   C*   Cm
  You're the one who taught me after   all,
G   D   G   C   G
  How to find a soft place   to fall.

Somebody Is Waiting For Me

Words & Music by
Juliana Hatfield

Intro

$\|$: E | C#m7 | G#m($\flat$6) | Aadd9#11 :$\|$ *x2*

Verse 1

    E   C#m   G#m   A
You never needed them,

    E   C#m   G#m   A
You never needed anyone

        E   C#m G#m A
The life of the party must decline

         E   C#m   G#m   A
Your   invitation to dine.

Pre-chorus 1

              F#m   B
And I'm sorry that I must go so soon,

            F#m   D
Please forgive me for finding something real

B   Am   B
And pure and   true.

Chorus 1

         E   C#m7 B   A
'Cause somebody   is waiting for me,

E   C#m7   B   A
Somebody   is waiting for me,

E   C#m7   B   A
Somebody   is waiting for me,

E   C#m7   B   A
Somebody   is waiting for me .

Verse 2

```
E       C#m     G#m   A
I never needed this,

E        C#m     G#m   A
I never needed anyone

  E            C#m     G#m
I meant every word that I said

      A
It's true,

  E       C#m     G#m    A
I    wasn't talking to you.
```

Pre-chorus 2

```
              F#m                    B
And I'm sorry that I must go so soon,

              F#m                        D  B  Am    B
Please forgive me for finding something real and pure and true.
```

Chorus 2

```
E          C#m7   B          A
Somebody      is waiting for me,

E          C#m7   B          A
Somebody      is waiting for me,

E          C#m7   B          A
Somebody      is waiting for me,

E          C#m7   B         A
Somebody      is waiting for me.
```

Instrumental

```
                                              x4
‖: E      | C#m7    | G#m(♭6)  | A        :‖
```

Pre-chorus 3

```
              F#m                    B
And I'm sorry that I must go so soon

              F#m                    D  B  Am
Please forgive me for finding something real and true.
```

Chorus 3

```
E          C#m7   B          A
Somebody      is waiting for me,

E          C#m7   B          A
Somebody      is waiting for me,

E          C#m    B          A
Somebody      is waiting for me,

E          C#m    B         A
Somebody      is waiting for me.
```

Outro

```
        E          C#m7  Bsus4  A
For me, for me, for me, for me,

        E       C#m7   G#m(♭6) A      E       C#m7  G#m(♭6)  A
For me, for me, for me, for me, for me, for me, for me, for me . . .

|E       | C#m7    | G#m(♭6) | A      | E       ‖
(vocal ad lib.)
```

Songbird

Words & Music by
Christine McVie

G G* D/G Csus2 C/G D

C Am7 G/B Am Em

x2

Intro

‖: G   G*   D/G │ Csus2   :‖

│ G   G*   D/G │ C/G   D   │

Verse 1

   C   G
For you, there'll be no crying

Am7 G/B C G
 For you, the sun will be shining

Am7 G/B Am   Em
  'Cause I feel that when I'm with you

  Csus2 G
It's alright, I know it's right.

Chorus 1

       D   C
And the songbirds keep singing

     Em
Like they know the score

     C   D
And I love you, I love you, I love you

     G
Like never before.

Guitar Solo

│C   │C   │G   │G Am7 G/B│

│C   │C   │G   │G   │

│D   │C   │Em   │Em   │

│C   │D   │G   │G   │

Verse 2

          C   G
To you, I would give the world

Am7 G/B C   G
  To   you, I'd   never be cold

Am7   G/B   Am   Em
    'Cause I feel that when I'm with you

   Csus2   G
It's alright, I know it's right.

Chorus 2

              D   C
And the songbirds keep singing

            Em
Like they know the score

          C   D
And I love you, I love you, I love you

     G   Am7   G/B
Like never before,

C   G   Am7   G/B
  Like never before

C   G
  Like never before.

St. Teresa

Words & Music by
Joan Osborne, Richard Chertoff, Eric Bazilian & Robert Hyman

Am   Dm/A   Am7   Asus4

Em   G   C   F   Dm

x6

Intro   ‖: N.C. :‖

| Am | Dm/A | Am7 | Asus4 |

| Am | Asus4 | Am   Em | Am |

Verse 1

Am   Dm/A Am7   Asus4
   She down on the corner,   just a little crime

Am   Dm/A   Am Em   Am
   When I make my money, got to   get my dime.

                 Dm/A Am7   Asus4
She down with her baby,   wind is full of trash,

Am   Dm/A   Am   Em   Am
   She bold as a streetlight,   dark and   sweet as   hash.

Chorus 1

        Am G   C F   Am   G   C F
Way down in the hollow, leav - in' so soon,

Am G   C   F   G   Am
Oh,   St. Tere - sa, higher than the moon.

Instrumental 1

| Am | Dm/F | Am7 | Asus4 |

| Am | Dm/A | Am   Em | Am |

Verse 2

Am   Dm/A   Am7   Asus4
   Reach down for the sweet stuff,   way she looks at me,

Am   Dm/A Am   Em   Am
   I know any man   sees you   like I see.

              Dm/A   Am7   Asus4
Follow down the side street,   move in single file,

       Am   Dm/A   Am   Em   Am
She said, "That's where I'll hold you, sleepin'   like a child."

Chorus 2   As Chorus 1

Instrumental 2 | **Am** | **Dm/A** | **Am7** | **Asus4** |

| **Am** | **Dm/A** | **Am** **Em** | **Am** |

       Am   **Dm/A** **Am7**   **Asus4**

Verse 3   Just what I be needin',   feel it rise in me

               Am   **Dm/A** **Am**   **Em**   **Am**

    She said   "Every stone a story,   like a   rosary."

             Dm/A **Am7**   **Asus4**

    Corner St. Teresa,   just a little crime

    Am   **Dm/A** **Am**   **Em**   **Am**

     When I make my money,   got to   get my dime.

Chorus 3   As Chorus 1

                             x3

Instrumental 3 ‖: **Am**   **G** | **C**   **F**   :‖

| **F**   **G** | **Am**   **G** |

    F   **G**   **Am** **G**

Bridge   You crawled up in the sky,

    F   **G**   **Am** **G**

      You crawled up in the clouds

    F   **G**   **Am**   **G**   **F**   **G**

      Is there something you forgot to tell me?

| **Am**   **G** | **F**   **G** | **Am**   **G** |

              Tell me,

  F   **G F**   **G F**   **G Am** | **Am** | **Am** | **Am** |

  Tell me, tell me, tell me, tell me.

Instrumental 4 | **Am** | **Dm/A** | **Am7** | **Asus4** |

| **Am** | **Asus4** | **Am** **Em** | **Am** |

    Am   **Dm**   **Am7**   **Asus4**

Outro   Show me, my Teresa,   feel it rise in me,

    Am **G**   **C** **F**   **G**   **Am**

    Every   stone a sto - ry, like a   rosary.

Strong Enough

Words & Music by
Sheryl Crow, Bill Bottrell, David Baerwald,
Kevin Gilbert, Brian MacLeod & David Ricketts

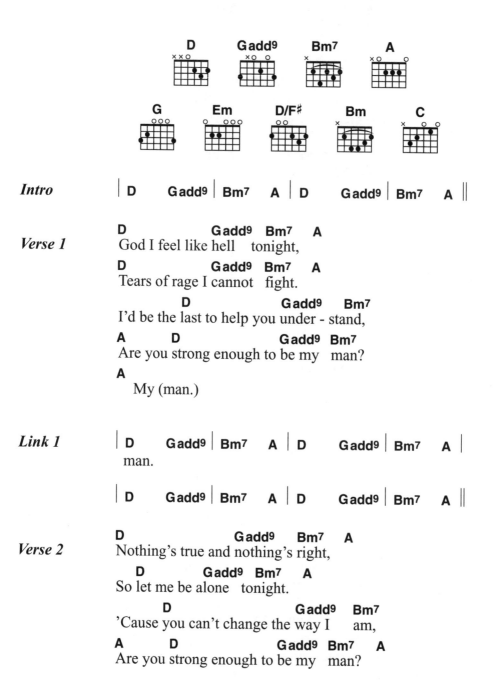

Intro | D   Gadd⁹ | Bm⁷   A | D   Gadd⁹ | Bm⁷   A ||

Verse 1
D   Gadd⁹ Bm⁷   A
God I feel like hell   tonight,
D   Gadd⁹ Bm⁷   A
Tears of rage I cannot   fight.
                    D   Gadd⁹   Bm⁷
I'd be the last to help you under - stand,
A   D   Gadd⁹ Bm⁷
Are you strong enough to be my   man?
A
    My (man.)

Link 1 | D   Gadd⁹ | Bm⁷   A | D   Gadd⁹ | Bm⁷   A |
man.

| D   Gadd⁹ | Bm⁷   A | D   Gadd⁹ | Bm⁷   A ||

Verse 2
D   Gadd⁹   Bm⁷   A
Nothing's true and nothing's right,
    D   Gadd⁹ Bm⁷   A
So let me be alone   tonight.
            D   Gadd⁹   Bm⁷
'Cause you can't change the way I   am,
A   D   Gadd⁹ Bm⁷   A
Are you strong enough to be my   man?

Chorus 1

Em D/F♯   G A   Bm   C   G   A
Lie _____ to me,   I promise I'll believe,

Em D/F♯   G A   Bm C   G   A
Lie _____ to me, but please don't leave. _____

| D   Gadd9 | Bm7   A ‖
                Don't leave.

Link 2

‖: D   Gadd9 | Bm7   A :‖ *Play 3 times*

Verse 3

    D   Gadd9 Bm7   A
I have a face I cannot show,

    D   Gadd9 Bm7 A
I make the rules up as I   go:

     D   Gadd9 Bm7
It's try and love me if you   can.

A   D   Gadd9 Bm7
Are you strong enough to be my man ?

A   D   Gadd9 | Bm7   A ‖
   My   man.

Link 3

A   D   Gadd9   Bm7
(Are you strong enough) to be my   man?

A   D   Gadd9   Bm7
(Are you strong enough) to be my   man?

A   D   Gadd9 Bm7
(Are you strong enough) my   man?

Verse 4

         D   Gadd9   Bm7
When I've shown you that I just don't care

A   D   Gadd9   Bm7
When I'm throwing punches in the   air,

A   D   Gadd9   Bm7
When I'm broken down and I can't   stand

        A   D   Gadd9 Bm7   A
Would you be man enough to be my   man ?

Chorus 2

Em D/F♯   G A   Bm   C   G   A
Lie _____ to me,   I promise I'll believe,

Em D/F♯   G A   Bm C   G   A   D
Lie _____ to me, but please don't leave. _____

Sunny Come Home

Words & Music by
Shawn Colvin & John Leventhal

Am G Fmaj7 Em C F#m7♭5 F

D7sus2 Dm Fadd9#11 D/F# G/B D9 E

Capo second fret

Intro

| Am | Am | Am | Am | |

| Am G | Fmaj7 Em | Am G | C G | |

| F#m7♭5 G | F Em | F G | D7sus2 | |

Verse 1

Am   G   F   Em
Sunny came home to her favourite room,

Am   G   C   G
Sunny sat down in the kitchen.

F#m7♭5   G   F   Em
She opened a book and a box of tools

Dm   Am   Fadd9#11 F
Sunny came home with a mission.

Chorus 1

            C   G   Dm F
She says days go by I'm hypnotised

       C   G Dm F
I'm walking on a wire.

    C   G   Dm Am D/F# G
I close my eyes and fly out of my mind

          Fmaj7
Into the fire.

Link

| Am G | Fmaj7 Em | Am G | C G | |

Verse 2

Am   G   C   G
Sunny came home with a list of names

Am   G   C   Em
She didn't believe in transcendence.

F   G   Am   G
And it's time for a few small repairs she said

Dm   Am   Fadd9#11 F
Sunny came home with a vengeance.

Chorus 2

           C   G   Dm   F
She says days go by I don't know why

       C   G   Dm   F
I'm walking on a wire.

       C   G   Dm   Am   D/F♯   G
I close my eyes and fly out of my mind

           Fmaj7
Into the fire.

Bridge

G   Em   F
Get the kids and bring a sweater

G/B   Em   F
Dry is good and wind is better,

G/B   Em   F
Count the years, you always knew it

G   Em   F
Strike a match, go on and do it.

Chorus 3

         C   G   Dm   F
Oh days go by I'm hypnotised

          C   G   Dm   F
I'm walking on a wire.

      C   G   Dm   F   C
I close my eyes and fly out of my mind

   G   Dm
Into the fire.

C   G   Dm   F
Light the sky and hold on tight

        C   G   Dm   F
The world is burning down.

        C   G   Dm   Am   D/F♯   G
She's out there on her own and she's alright.

Outro

                Fmaj7 | F♯m7♭5 | Am | F♯m7♭5 |
Sunny came home

             Am G | F   G | Am G | F   G |
Sunny came home . . .

| Am G | F   G | D9 | Fmaj7 | Am | E |

| G | D | F | F | Am   ‖

Stay (I Missed You)

Words & Music by
Lisa Loeb

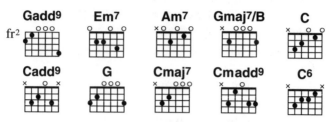

Capo sixth fret

Intro ‖ Gadd9 | Em7 | Am7 Gmaj7/B | C Cadd9 ‖

Verse 1
    Gadd9   Em7   Am7 Gmaj7/B C Cadd9
    You say   I only hear what I want to,

    Gadd9   Em7   Am7 Gmaj7/B C   Cadd9
    You say   I talk so all the time   so. ___

Pre-chorus 1
    Am7   G
    And I thought what I felt was simple,

    Am7   G
    And I thought that I don't belong.

    Am7   G
    And now that I am leaving,

    Am7   G
    Now I know that I did something wrong.

Chorus 1
              Cmaj7
  'Cause I missed you,

    Cmadd9
    Yeah, ___

     Am7
  I missed you.

  ‖ G | Am7 G ‖

Verse 2
    Gadd9   Em7
    And you say   I only hear what I want to,

     Am7   Gmaj7/B
  I don't listen hard, don't pay attention

           C   G
  To the distance that you're running to anyone, anywhere.

cont.

      Am⁷   **Gmaj⁷/B**
I don't understand if you really care,

          C
I'm only hearing negative, no, no, no. _____

Verse 3

        Am⁷   **G**   **Am⁷**
So I turn the radio on, I turn the radio up

              G
And this woman was singing my song:

Am⁷   **G**
Lovers in love and the others run away,

Am⁷   **G**
Lover is crying 'cause the other won't stay.

Am⁷   **G**
   Some of us hover when we weep for the other,

        Am⁷   **G**
Who was dying since the day they were born.

      Am⁷   **G**   **Am⁷**
Well this is not that I think that I'm throwing, but I'm thrown

G   **Am⁷**
   And I thought I'd live forever,

But now I'm not so sure.

        C
You try to tell me that I'm clever

But that won't take me anyhow,

Am⁷   **Gmaj⁷/B** **C**   **Cadd⁹**
   Or anywhere with you.

Pre-chorus 2

Am⁷   **G**
   And you said that I was naive

      Am⁷   **G**
And I thought that I was strong:

Am⁷   **G**
   I thought, hey I can leave, I can leave.

      Am⁷   **G**
Oh but now I know that I was wrong.

Chorus 2

          C⁶
'Cause I missed you,

Cmadd⁹
   Yeah, _____

  Am⁷
I missed you.

| **G** | **Am⁷** **G** | |

Verse 4

                  Am7
You said you caught me 'cause you want me

And one day I'll let you go.

               C
You try to give away a keeper, or keep me

                                     Am7   **Gmaj7/B**   **C**   **Cadd9**
'Cause you know you're just so scared to lose.

Coda

                  Gadd9
And you say, ___

Em7   **Am7** **Gmaj7/B** **C**   **Cadd9**
  "Stay"

Gadd9
  And you say

Em7   **Am7** **Gmaj7/B** **C** **Cadd9**
  I only hear what I want to.

Tell Yourself

Words & Music by
Natalie Merchant

C   Em   Am   D   G   F   Cadd9   Dm

Capo third fret

Intro | C | Em | Am | D ‖

Chorus 1
                     C   Em
I know what you tell yourself,

Am   D
Tell yourself,

                   C   Em
I know what you tell yourself,

      Am   D
You tell yourself.

Verse 1
Am
    Look in the mirror, look in the mirror

              G
What does it show?

Am
  I hear you counting,

                          G
I know you're adding, adding up the   score.
   D   Am | Am | C | C ‖
I know, oh yes I know.

Chorus 2
                C   Em
What you tell yourself,

Am   D
Tell yourself,

                   C   Em
I know what you tell yourself,

      Am   D
You tell yourself.

Verse 2

Am
Ever since Eden

                                    G
We're built for pleasing, every - one knows.

Am   G
  Ever since Adam, cracked his rib and let us go.

D   Am | Am | C | C   ‖
I know, oh yes I know.

Chorus 3

                    C   Em
What you tell yourself,

        Am   D
You tell yourself.

                    C   Em
I know what you tell yourself,

        Am   D
You tell yourself.

                    C   Em
I know what you tell yourself,

        Am   D
You tell yourself.

Bridge 1

Em   D
  Who taught you how to lie so well

            C   G   D
And to believe in each and every word you say?

Em   D
  Who told you that nothing about you is alright?

            C   G   D
It's just no use, it's just no good you'll never be okay.

Dm   Am
  Well I know, I know that wrongs been done to you

                C
"It's such a tough world"

                G
That's what you say.

Dm   Am
  And I know, I know it's easier said than done

                C
But that's enough girl,

        G
Give it away

        F   C | Em | Am | D   ‖
Give it, give   it all away.

Chorus 4

   C   Em
Tell yourself that you're not pretty

  Am   D
   Look at you, you're   beautiful.

   C   Em
   Tell yourself that no one sees

  Am   D
Plain Jane, invisible me,

     C   Em
Just tell yourself,

  Am   D
Tell yourself.

Chorus 5

   C   Em
Tell yourself you'll never be

        Am   D
Like the anorexic beauties in the magazines

   C   Em
Like a bargain basement Barbie doll,

     Am   D
No belle du jour, no   femme fatale,

     C   Em
Just tell yourself,

  Am   D
Tell yourself.

Chorus 6

   C   Em
Tell yourself there's nothing worse

       Am   D
Than the pain inside, the way it hurts.

   C   Em
Tell yourself it's nothing new,

      Am   D
'Cause everybody feels it too

      C   Em | Am | D ‖
They feel it too.

Coda

   C   Em
And there's just no getting 'round

     Am   D   Cadd9
The fact that you're thirteen right now . . .

That Day

Words & Music by
Natalie Imbruglia & Pat Leonard

Bm   Em7   D/F#   G   Em

Dsus4   D   Asus4   A   A/C#   Em/G

Intro

| Bm | Em7 | D/F# | G | Bm | Em7 | D/F# | Em ‖

‖: Dsus4   D | Asus4   A | G | Bm :‖

Verse 1

     D
That day, that day what a mess, what a marvel
     A/C#
I walked into that cloud again and I lost myself,
     C   G
And I'm sad, sad, sad, small, alone, scared,
     D/F#   Em/G
Craving purity, a fragile mind and a gentle spirit.
     D
That day, that day what a marvellous mess,
     A/C#
This is all that I can do, I'm done to be me
C   G
Sad, scared, small, alone, beautiful,
             D/F#
It's supposed to be like this, I accept everything,
     G
It's supposed to be like this.

Chorus 1

     Bm   Em7
That day, that day I lay down beside myself
     D/F#
In this feeling of pain,
G
Sad and scared, small, climbing,
Bm Em7
Crawling towards the light,

cont.

                                    D/F♯
And it's all I see, and I'm tired, and I'm right,

                    Em
And I'm wrong, and it's beautiful.

D   **A**
  That day, that day what a mess,

                    G
What a marvel, we're all the same

            Bm
And no one thinks so,

                    Dsus4   **D**   **A**
And it's okay, and I'm small, and I'm divine,

                                        G
And it's beautiful, and it's coming,

                                Bm
But it's already here, and it's   absolutely perfect.

                    D
Verse 3   That day, that day when everything was a mess,

                                A/C♯
And everything was in place, and there's too much hurt,

                                        C
Sad, small, scared, alone, and everyone's a cynic,

            G   **D/F♯**   **Em**
And it's hard, and it's sweet, but it's supposed to be like this.

                    D
Well that day, that day when I sat in the sun,

                    A/C♯
And I thought, and I cried, 'cause I'm sad, scared, small,

                            C
Alone, strong and I'm nothing, and I'm true,

G
Only a brave man can break through,

            D/F♯   **G**
And it's all okay,   yeah, it's okay.

            Bm   **Em7**
Chorus 2   That day, that day I lay down beside myself

            D/F♯
In this feeling of pain,

G
Sad and scared, small, climbing,

Bm Em7
Crawling towards the light,

                                D/F♯
And it's all that I see, and I'm tired, and I'm right,

157

cont.

        Em
And I'm wrong, and it's beautiful.

D   **A**
  That day, that day what a mess,

           G
What a marvellous   mess, we're all the same

    Bm
And no one thinks so,

       Dsus4   **D**   **A**
And it's okay, and I'm small, and I'm divine,

            G
And it's beautiful, and it's coming,

            Bm
And it's already here, and it's   absolutely perfect.

Instrumental 𝄆 Bm | Bm | A | A | G | G | G | G   𝄇

         | Em | Em   ‖

Link

Bm   **Em**   **D/F♯** **G**
  That day, that day,

Bm   **Em**   **D/F♯** **Em**
  That day, that day.

𝄆 Dsus4   D | Asus4   A | G | Bm   𝄇

Chorus 3

    Bm   **Em7**
That day, that day I lay down beside myself

      D/F♯
In this feeling of pain,

G
Sad and scared, small, climbing,

Bm   **Em7**
Crawling towards the light,

               D/F♯
And it's all I see, and I'm tired, and I'm right,

        Em
And I'm wrong, and it's beautiful.

D   **A**
  That day, that day what a mess,

           G
What a marvellous   mess, we're all the same

    Bm
And no one thinks so,

       Dsus4   **D**   **A**
And it's okay, and I'm small, and I'm divine,

cont.
                  G
And it's beautiful, and it's coming,

                                Bm   **Dsus⁴** **D**
But it's already here, and it's   absolutely perfect.

Coda
          A   **G**   **Bm**
That day, that day

Dsus⁴ D   **A**   **G**   **Bm**
    That day, that day

Dsus⁴ D   **A**   **G**   **Bm**
    That day, that day

Dsus⁴ D   **A**   **G**   **Bm**
    That day, that day

D   **A**   **G**   **Bm**
  So sweet, can you feel it?

D   **A**   **G**   **Bm**
  Are you here? Are you with me? I can feel it, it's beautiful.

D   **A** **G**   **Bm**
  That day,   that day

D   **A** **G**   **Bm**
  That day,   absolutely perfect.

‖: **D** | **A** | **G** | **Bm**   :‖   *Repeat to fade*

These Boots Are Made For Walking

Words & Music by
Lee Hazlewood

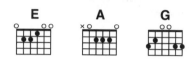

Intro | E | E | E | E | E | E | E | E |

Verse 1

E
You keep saying you've got something for me.

Something you call love, but confess.

A
You've been messin' where you shouldn't have been a messin'

        E
And now someone else is gettin' all your best.

Chorus 1

      G   E   G   E
These boots are made for walking, and that's just what they'll do
G   E   N.C.
One of these days these boots are gonna walk all over (you).

Link 1 | E | E | E | E | E | E | E | E |
   you.   Yeah!

Verse 2

E
You keep lying, when you oughta be truthin'

And you keep losin' when you oughta not bet.

A
You keep samin' when you oughta be a-changin'.

        E
Now what's right is right, but you ain't been right yet.

	G E G E
Chorus 2	These boots are made for walking, and that's just what they'll do
	G E N.C.
	One of these days these boots are gonna walk all over (you).

Link 2 |E |E |E |E |E |E |E |E |
　　　　　you.

Verse 3
E
You keep playin' where you shouldn't be playin'

And you keep thinkin' that you'll never get burnt, ha!
A
I just found me a brand new box of matches, yeah
E
And what he know you ain't have time to learn.

　　　　　　　G   E   G   E
Chorus 3 These boots are made for walking, and that's just what they'll do
　　　　　　　G   E   N.C.
　　　　　　　One of these days these boots are gonna walk all over (you).

Link 3 |E |E |E |E |
　　　　　you.
E
　　Are you ready boots? Start walkin'!

Outro ‖:E |E |E |E   :‖   *Repeat to fade*

Those Were The Days

Words & Music by
Gene Raskin

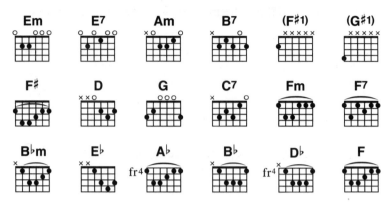

Capo second fret

Intro
| Em | Em E7 | Am | Am |

| B7 | B7 | Em | Em | Em | Em |

Verse 1

Em
Once upon a time there was a tavern,
E7   (F#1) (G#1)   Am
Where we used to raise a glass or two

                                Em
Remember how we laughed away the hours
  F#   B7
And dreamed of all the great things we would do.

Chorus 1

                Em
Those were the days, my friend
           Am
We thought they'd never end,
           D   G
We'd sing and dance forever and a day.
        Am
We'd live the life we choose
        Em
We'd fight and never lose,
        B7   Em
For we were young and sure to have our way.
        Em
La la la la la la,

Am
La la la la la la,

B7
La la la la,

Em | **Em** |
La la la la la la.

Em
Verse 2   Then the busy years went rushing by us,

E7   **(F♯1)(G♯1)**   **Am**
We lost our starry notions on the way,

                                 Em
If by chance I'd see you in the tavern

      F♯   **B7**
We'd smile at one another and we'd say:

              Em
Chorus 2   Those were the days, my friend

               Am
We thought they'd never end,

           D   **G**
We'd sing and dance forever and a day.

         Am
We'd live the life we choose

         Em
We'd fight and never lose,

        B7
Those were the days,

               Em
Oh yes those were the days.

      Em
La la la la la la,

      Am
La la la la la la,

    B7
La la la la,

            Em | **Em** |
La la la la la la.

Em
Verse 3   Just tonight I stood before the tavern,

E7   **(F♯1)**   **(G♯1)**   **Am**
Nothing seemed the way it used to be,

                         Em
In the glass I saw a strange reflection

F♯   **B7**
Was that lonely woman really me?

Chorus 3

        Em
Those were the days, my friend

       Am
We thought they'd never end,

      D   **G**
We'd sing and dance forever and a day.

      Am
We'd live the life we choose

      Em
We'd fight and never lose,

      B⁷
Those were the days,

        Em
Oh yes those were the days.

   Em
La la la la la la,

   Am
La la la la la la,

   D
La la la la,

    G
La la la la la la.

   Am
La la la la la la,

   Em
La la la la la la,

   B⁷
La la la la,

   Em
La la la la la la.

Link

| Em | C⁷ | C⁷ | Em | Em | |
| C⁷ | ‖ Fm | Fm | Fm | Fm | |

Verse 4

Fm
Through the door there came familiar laughter,

 F⁷   **B♭m**
I saw your face and heard you call my name

             Fm
Oh, my friend, we're older but no wiser

  G   **C⁷**
For in our hearts the dreams are still the same.

Chorus 4

              Fm
Those were the days, my friend

              B♭m
We thought they'd never end,

          E♭   **A♭**
We'd sing and dance forever and a day.

           B♭m
We'd live the life we choose

           Fm
We'd fight and never lose,

         C7
Those were the days,

               Fm
Oh yes those were the days.

     Fm
La la la la la la,

     B♭m
La la la la la la,

     E♭
La la la la,

          A♭
La la la la la la.

     B♭m
La la la la la la,

     Fm
La la la la la la,

     C7
La la la la,

     Fm
La la la la la la.

Outro | **Fm** | **A♭** | **A♭** | **B♭** | **D♭** | **F**   ‖

True Colours

Words & Music by
Billy Steinberg & Tom Kelly

Am7   C/B   C**   F**   Am   G/B

C   C/E   Fadd9   F   G   Dm   Dm*

C*   F*   Gsus4   C/E*   F/C   Gsus2/4   E7

Intro

| N.C. | N.C. | Am7 | C/B | C** | F** | |
| Am7 | C/B | C** | F** |

Verse 1

      Am G/B
You with the sad heart

C   **C/E**
Don't be discouraged

    Fadd9 **F**
Though I realise

   Am   **G**
It's hard to take courage.

    C   **Dm**
In a world full of people

C/E   **F**
You can lose sight of it all

     Am   **G**
And the darkness inside you

      Dm*   **C***
Can make you feel so small.

Chorus 1

       F*   **C**
But I see your true colours

   Gsus4   **G**
Shining through,

     F* **C/E***
I see your true colours

           F*   Gsus4 G
And that's why I love   you.

        F*   C   Dm*   Am
So don't be afraid to let them show

        F/C C*
Your true colours,

F/C C*   Gsus2/4
True colours are beautiful,

         Am7 | C/B | C** | F** |
Like a rainbow.

| Am7 | C/B | C** | F** ||

Verse 2

               Am   G/B
Show me a smile then,

C   C/E
Don't be unhappy,

        Fadd9   F
Can't remember when

    Am   G
I last saw you laughing.

     C   Dm
If this world makes you crazy

            C/E*   F
And you've taken all you can bear

      Am   G
You call me up

            F/C   C*
Because you know I'll be there.

Chorus 2

               F*   C
And I see your true colours

   Gsus4   G
Shining through

            F*   C/E*
I'll see your true colours

      F*   Gsus4 G
And that's why I love   you.

        F*   C   Dm*   Am
So don't be afraid to let them show

        F/C C*
Your true colours,

F/C C*   Gsus2/4
True colours are beautiful,

         Am7 | C/B | C** | F** |
Like a rainbow.

Instrumental | Am⁷ | C/B | C** | F** | Am | G/B | C | C/E |

Verse 3
(whispered)

Fadd⁹   F
(Can't remember
      Am   G
When I last saw you laughing)
C   Dm
If this world makes you crazy
      C/E   F
You've taken all you can bear,
      Am   G
You call me up
            F/C   C*
Because you know I'll be there.

Chorus 3

                    F*   C
And I see your true colours
   Gsus⁴   G
Shining through
            F*   C/E*
I see your true colours
      F*   Gsus⁴ G
And that's why I love   you
      F*   C   Dm*   Am
So don't be afraid to let it   show
         F/C C*
Your true colours,
F/C   C*
True colour,s
F/C   C*   **Gsus⁴   G**
True colours are shining through
            F*   C/E*
I see your true colours
      F*   Gsus⁴ G
And that's why I love   you
      F*   C   Dm*   Am
So don't be afraid, to let them show
         F/C C*
Your true colours
F/C   C*   **Gsus²/4**
True colours are beautiful,
N.C.   **Am⁷** | C/B | C** | F** ||
Like a rainbow. _____

Outro   **drum machine**

168

Walk This World

Words & Music by
Heather Nova

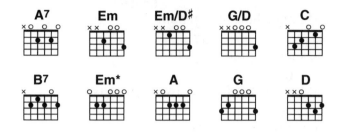

Intro

| A7 |

| Em | Em/D♯ | G/D | A7 |

| Em | Em/D♯ | G/D | A7 |

Verse 1

    Em   **Em/D♯**
I have slept beside the winter
      G/D   **A7**
And the green is growing slow,
    Em   **Em/D♯**
I have watched you find the places
G/D   **A7**
Hidden by the snow.
    C
I have tripped into a valley
    B7
That is blue till you can see
      Em* **A**   **Em***
I want you to come walk this world with me.

Chorus 1

     G   **C** **D**   **Em***
With the light in our eyes it's hard to see
G   **C**   **D**   **Em***
Holding on   and on 'til we believe
     G   **C** **D**   **Em***
With the light in our eyes it's hard to see
C   **B7**
  I'm not touched but I'm aching to be
    Em* **A**   **Em***
I want you to come walk this world with me.

Verse 2

```
              Em              Em/D♯
And I'm sucked in by the wonder
              G/D             A7
And I'm fucked up by the lies
              Em              Em/D♯
And I dig a hole to climb in
G/D                 A7
And I build some wings to fly.
              C
And I think that I could love you 'cause
              B7
You know how to be free
              Em*   A                Em*
I want you to come walk this world with me.
```

Chorus 2

```
              G       C     D        Em*
With the light in our   eyes   it's hard to see
G         C        D         Em*
Holding on   and on   'til we believe.
              G       C     D        Em*
With the light in our   eyes   it's hard to see
C                         B7
   I'm not touched but I'm aching to be
              Em*
I want you to come,
A             Em*
   I want you to come,
A             Em*   A                Em*
   I want you to come walk this world with me.
```

Instrumental

```
                                              x4
 ‖: Em      | Em/D♯  | G/D     | A7      :‖
```

Verse 3

```
              Em              Em/D♯
And it's burning in our fingers
              G/D             A7
And it's burning on the road
              Em              Em/D♯
And I like the way you're broken
              G/D                   A
And I'll like you when you're old
              C
And I see you in the garden
              B7
And I feel you plant the seed
              Em*   A                Em*
I want you to come walk this world with me.
```

170

Chorus 3
     G   **C** **D**   **Em***
With the light in our eyes it's hard to see,

G   **C**   **D**   **Em***
Holding on and on 'til we believe.

     G   **C** **D**   **Em***
With the light in our eyes it's hard to see

G   **C**   **D**   **Em***
Holding on and on 'til we believe.

     G   **C** **D**   **Em***
With the light in our eyes it's hard to see,

G   **C**   **D**   **A**
Holding on and on 'til we believe

C   **B7**
 I'm not touched but I'm aching to be

C   **B7**
 Dust to dust and cheek to cheek

      Em*
I want you to come,

A   **Em***
 I want you to come,

A   **Em*** **A**   **Em***
 I want you to come, walk this world with me.

Until It's Time For You To Go

Words & Music by
Buffy Sainte-Marie

Tune guitar up a semitone

Verse 1

           G   **Gmaj7/F♯**   **F**   **E**
You're not a dream, you're not an angel, you're a man.

     Am   **Am(maj7)**   **Am7** **D/F♯**
I'm not a queen, I'm a woman, take my hand.

            G   **Gmaj7/F♯**   **Fmaj7♯11**   **E**
We'll make a space in the lives that we'd planned

         Am7   **D7/F♯**   **G** **D/F♯**
And here we'll stay until it's time for you to go.

Verse 2

           G   **Gmaj7/F♯**   **F**   **E**
Yes we're different, worlds apart, we're not the same.

       Am   **Am(maj7)**   **Am7** **D/F♯**
We laughed and played at the start, like in a game.

          G   **Gmaj7/F♯**   **Fmaj7♯11** **E**
You could've stayed outside my heart, but in you came

         Am7   **D7/F♯**   **G** **A♭**
And here you'll stay until it's time for you to go.

Bridge 1

F   **G***   **A♭**
Don't ask why,

F   **G***   **B7**
Don't ask how, ____

       Esus4 **Em**
Don't ask forever,

A7   **D7**   **D/F♯**
Love me now.

Verse 3

                G   **Gmaj7/F♯**   **Fmaj7♯11**   **E**
This love of mine had no beginning, it has no end,

      Am   **Am(maj7)**   **Am7**   **D/F♯**
I was an oak, now I'm a willow, now I can bend.

              G   **Gmaj7/F♯**   **Fmaj7♯11**   **E**
And though I'll never in my life see you again,

       Am7   **D7/F♯**   **G**   **Gmaj7/F♯** **A♭**
Still I'll stay until it's time for you to go.

Bridge 2

F   **G***   **A♭**
Don't ask why of me,

F   **G***   **B7**
Don't ask how of me, ____

         Esus4 **Em**
Don't ask forever of me,

A7   **D7**   **D/F♯**
Love me, love me now.

Verse 4

          G   **Gmaj7/F♯**   **F**   **E**
You're not a dream, you're not an angel, you're a man.

      Am   **Am(maj7)**   **Am7**   **D/F♯**
I'm not a queen, I'm a woman, take my hand.

          G   **Gmaj7/F♯**   **Fmaj7♯11**   **E**
We'll make a space in the lives that we'd planned

         Am7   **D7/F♯**   **G** **A♭** **F** **G***
And here we'll stay until it's time for you to go.

Up In The Air

**Words & Music by
Bob Mould**

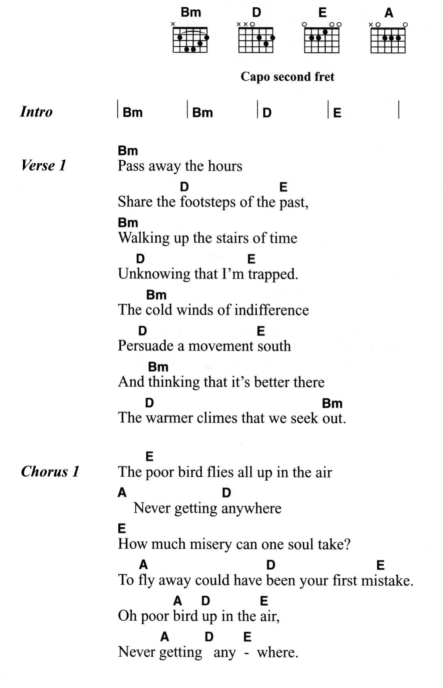

Capo second fret

Intro | Bm | Bm | D | E |

Verse 1

Bm
Pass away the hours
    D   **E**
Share the footsteps of the past,
Bm
Walking up the stairs of time
   D   **E**
Unknowing that I'm trapped.
   Bm
The cold winds of indifference
D   **E**
Persuade a movement south
   Bm
And thinking that it's better there
  D   **Bm**
The warmer climes that we seek out.

Chorus 1

   E
The poor bird flies all up in the air
A   **D**
  Never getting anywhere
E
How much misery can one soul take?
  A   **D**   **E**
To fly away could have been your first mistake.
    A **D**   **E**
Oh poor bird up in the air,
    A   **D** **E**
Never getting any - where.

Verse 2

Bm
Picking the petals of a flower
D   **E**
Loves me loves me not,
  Bm
Is love another way to count
    D   **E**
The things you haven't got?
  Bm
I wish the best to all my friends
D   **E**
Young and old alike,
      Bm
When the dust has settled in the sky
   D   **Bm**
Oh you can have anything, anything you like.

     E
Chorus 2   The poor bird flies all up in the air
A   **D**
  Never getting anywhere
E
How much misery can one soul take?
  A   **D**   **E**
To fly away could have been your first mistake.
     A **D**   **E**
Oh poor bird up in the air
    A   **D**   **E**
Never getting any - where.
    A **D**   **E**
Oh po - or bird
     A   **D**   **E**
Oh poor bird._____

Outro   ‖: **A** | **D** | **E** | **E**   :‖   *Repeat to fade*

What's Up

**Words & Music by
Linda Perry**

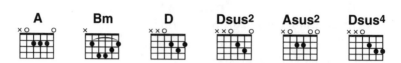

A   Bm   D   Dsus2   Asus2   Dsus4

Intro |A |Bm |D Dsus2 |A Asus2 |A   Asus2 |Bm |D Dsus2 |A Asus2 |

Verse 1

  A   Asus2
25 years of my life and still

   Bm   D
I'm trying to get up that great big hill of hope

      Dsus2 A
For a destin - ation.

 Asus2   A
And I realised quickly when I knew I should

Asus2 Bm
That the world was made up of this

          D
Brotherhood of man,

       Dsus2   A
For whatever that means.

Pre-chorus 1

Asus2   A
And so I cry sometimes when I'm lying in bed

Asus2 Bm
Just to get it all out, what's in my head

      D   Dsus2 A
And I,   I am feeling a little peculiar.

Asus2   A
And so I wake in the morning and I step

     Asus2 Bm
Outside and I   take deep breath

And I get real high

     D
And I   scream from the top of my lungs,

       Dsus2 A
"What's goin'   on?"

Chorus 1

    Asus2 **A**   **Asus2**
And I   say, "Hey, yeah, yeah, yeah,

Bm
Hey, yeah, yeah."

        D   **Dsus2** **A**
I said "Hey, what's goin'   on?"

    Asus2 **A**   **Asus2**
And I say,   "Hey, yeah, yeah, yeah,

Bm
Hey, yeah, yeah."

        D   **Dsus2** **A**
I said "Hey, what's goin'   on?"

Link 1   ‖: **A** **Asus2**│**Bm**   │**D** **Dsus2**│**A** **Asus2** :‖

Verse 2

        A   **Asus2** **Bm**
And I try, oh my God do I   try,

          D
I try all the time

      Dsus2 **A**
In this insti - tution.

Asus2 **A**   **Bm**
And I pray, oh my God do I pray,

          D
I pray every single day

      Dsus2 **A**
For a revo - lution.

Pre-chorus 2   As Pre-chorus 1

Chorus 2   As Chorus 1

Link 2   │ **A** **Asus2**│**Bm**   │**D** **Dsus2**│**A** **Asus2**│

Outro

A   **Asus2**
   25 years and my life is still,

    Bm   **D**
I'm trying to get up that great big hill of hope

     Dsus4 D   **Dsus2** **A**
For a   des - ti - nation.

Where Have All The Cowboys Gone?

Words & Music by
Paula Cole

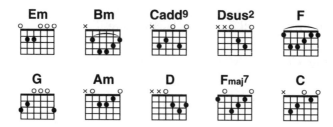

Capo second fret

Intro
| Em | Bm | Em | Bm | |

| Em | Bm | Cadd9 | Dsus2 | N.C. | N.C. | |

Verse 1 (spoken)
N.C.
Oh you get me ready in your 56 Chevy

Why don't we go sit down in the shade?

Take shelter on my front porch

The dandy lion sun scorching,

Like a glass of cold lemonade.

Chorus 1
F   G   Am   Bm
I will do the laundry if you pay all the bills,
Em   Bm
  Where is my John Wayne,
Em   Bm
  Where is my prairie song?
Em   Bm
  Where is my happy ending,
Cadd9   Dsus2
  Where have all the cowboys gone? _____

Link 1
| Am | Bm | Cadd9 | Dsus2 | |

Verse 2 (spoken)
N.C.
Why don't you stay the evening

Kick back and watch the TV

And I'll fix a little something to eat.

Oh I know your back hurts from working on the tractor

How do you take your coffee my sweet?

Chorus 2
F   **G**   **Am**   **Bm**
I will raise the children if you pay all the bills,
Em   **Bm**
  Where is my John Wayne,
Em   **Bm**
  Where is my prairie song?
Em   **Bm**
  Where is my happy ending,
Cadd⁹   **Dsus²**
  Where have all the cowboys gone? ___

Link 2 | **Am** | **Bm** | **Cadd⁹** | **D** |

_____

Bridge
Fmaj⁷
  I am wearing my new dress tonight
                Am   **Bm** | **Cadd⁹** | **D** |
But you don't, but you don't even notice me _____
      Am   **Bm**   **C**   **D** | **N.C.** | **N.C.** |
Say goodbyes, say goodbyes, say goodbyes.

Verse 3 (spoken)
N.C.
We finally sell the Chevy

When we had another baby

And you took the job in Tennessee.

You made friends at the farm

And you joined them at the bar

Almost every single day of the week.

179

Chorus 3

      F   G   Am   Bm
I will wash the dishes while you go have a beer

Em   Bm
  Where is my John Wayne,

Em   Bm
  Where is my prairie song?

Em   Bm
  Where is my happy ending,

Cadd9   Dsus2
  Where have all the cowboys gone?

Em   Bm
  Where is my Marlboro man,

Em   Bm
  Where is his shiny gun?

Em   Bm
  Where is my lonely ranger,

Cadd9   Dsus2 | Am | Bm |
  Where have all the cowboys gone? _____

C   D | Am | Bm | C | D |
Where have all the cowboys gone? _____

Am   Bm | C | D |
Where have all the cowboys gone? _____

Outro

Am
  Yippee yo, yippee yay,

Bm
  Yippee yo, yippee yay,

C
  Yippee yo, yippee yay,

D
  Yippee yo, yippee yay.

‖: Am | Bm | C | D   :‖   *Repeat to fade*
(Yippee yo, yippee yay, *etc. ad lib*)

Willow

Words & Music by
Joan Armatrading

F   B♭   C   Am   G   F*

Dm   Em   Dm7   F/A   C/G   G7

Intro | N.C. (Cbass) | (Cbass) | (Cbass) |

Verse 1

F   B♭
I may not be your best,

C
But you know good ones
                             B♭
Don't come by the score.

F   B♭
If you've got something missing,

C   B♭
I'll help you look you can be sure.

                 F
And if you want to be alone

  Am
Or   someone to share a laugh

G
Whatever you want me to
                (F*) | C   F* | C   F* | C   Am G |
All you got to do is ask.

Verse 2

C
Thunder,

F*
Don't go under the sheets

C
Lightning,

F*
Under a tree

C   G
In the rain and snow

cont.

```
        Dm                    Am   G
        I'll be your fireside.
        C                 Em
        Come running to me,
        Dm7               G      Am   G
        When things get out of hand
        C                 Em
        Running to me,
        Dm7                       G
        When it's more than you can stand.
```

Chorus 1

```
                C       Dm7   Em    Dm7
        I said I'm strong ____
        C         Dm7   Em    Dm7
        Straight ____
        C           F*
        Willing
              C    G    C
        To be a  shelter in a storm
            F*        C
        Your willow, oh willow
                  F/A C/G  F
        When the sun is     out.
```

Instrumental

```
|C          F* |C          F* |G            |F            |

|C    G    |C          |G            |F            |

|C    G7   |
```

Verse 3

```
        F                    B♭
        A fight with your best girl,
        C                    B♭
        Prettiest thing you ever saw
        F                B♭
        You know I'll listen,
        C
        Try to get a message to her
          B♭            F
        And if it's money you want
          Am
        Or trouble halved,
          G
        Whatever you want me to
```

All you got to do is ask.

                C   **Dm7**   **Em**   **Dm7**

Chorus 2   I said I'm strong, ____

            C   **Dm7**   **Em**   **Dm7**
              Straight,_____

            C   **F**
              Willing

                 C **G**   **C**
            To be a shelter in a storm

               F   **C**
            Your willow, oh willow

                  F/A C/G **F**
            When the sun is   out

            C   **G7** **C**
            (Shelter in a storm . . .)   *to fade*

Will You?

Words & Music by
Hazel O'Connor & Wesley Magoogan

[Chord diagrams: Dm, F, B♭, C, A, Dm/A, G, G/B]

Intro | Dm | Dm   ‖

Verse 1
Dm   F   B♭   C
   You drink your coffee, and   I sip my tea
        Dm   F
And we're   sitting here playing so cool, thinking
B♭   A
  'What will be will be'.

Chorus 1
F   C
  But it's getting kind of late now,
Dm   Dm/A A   Dm/A A   Dm/A A   Dm/A A
  Oh I wonder if you'll stay   now, stay   now, stay   now, stay   now.
   Dm   F   G G/B   Dm   A |A |
Or will you just pol - itely,   say goodnight?

Verse 2
Dm   F   B♭   C
  I move a little closer to you,   not knowing quite what to do
     Dm   F   B♭   A
And I'm   feeling all fingers and thumbs, I spill my tea, oh silly me.

Chorus 2
F   C
  But it's getting kind of late now,
Dm   Dm/A A   Dm/A A   Dm/A A   Dm/A A
  I wonder if you'll stay   now, stay   now, stay   now, stay   now.
   Dm   F   G G/B   Dm   A
Or will you just pol - itely,   say goodnight?

Bridge
          F   C
And then we touch much too much,
     Dm   A
This moment has been waiting for a long, long time.
       F   C
Makes me shiver, it makes me quiver,

cont.

Dm
This moment I am so unsure,

    C
This moment I have waited for

   Bb   **A** **A**
Was it something you've been waiting for, waiting for too?

Verse 3

Dm   **F**   **Bb**   **C**
Take up your eyes, bare your soul, gather me to you and make me whole.

Dm   **F**   **Bb**   **A**
Tell me your secrets, sing me the song, sing it to me in the silent dawn.

Chorus 3

F   **C**
  But it's getting kind of late now,

Dm   **Dm/A** **A**   **Dm/A** **A**   **Dm/A** **A**   **Dm/A** **A**
  I wonder if you'll stay   now, stay   now, stay   now, stay   now.

  Dm **F**   **G** **G/B**   **Dm** **A**
Or will you just pol - itely,   say goodnight?

Sax solo

| Dm   F | G   G/B | Dm | A͡ | Dm | |

| Drum break | ‖

| Dm | F | Bb | C | Dm | F | Bb | A | |

| F | C | Dm | A | A | Dm F | G G/B | Dm | A | |

| F | C | Dm | A | F | C | Dm | Dm | |

| C | C | Bb | Bb | A | A | |

| Dm | F | Bb | C | Dm | F | Bb | A | |

| F | C | Dm | A | A | Dm F | G G/B | Dm | A | |

| Dm   F | G   G/B | Dm | A͡ | Dm | ‖

You Do

Words & Music by
Aimee Mann

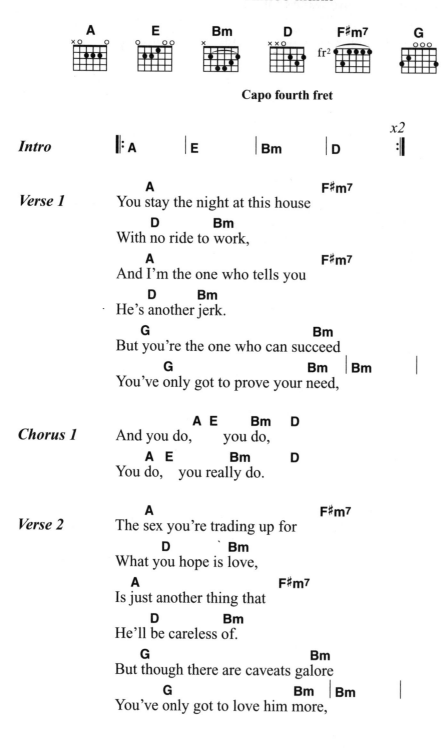

Capo fourth fret

Intro ‖: A | E | Bm | D :‖ *x2*

Verse 1

     A   F#m7
You stay the night at this house

     D   Bm
With no ride to work,

     A   F#m7
And I'm the one who tells you

     D   Bm
He's another jerk.

     G   Bm
But you're the one who can succeed

         G   Bm | Bm |
You've only got to prove your need,

Chorus 1

             A E   Bm   D
And you do,   you do,

     A E   Bm   D
You do,   you really do.

Verse 2

     A   F#m7
The sex you're trading up for

       D   Bm
What you hope is love,

     A   F#m7
Is just another thing that

     D   Bm
He'll be careless of.

     G   Bm
But though there are caveats galore

        G   Bm | Bm |
You've only got to love him more,

Chorus 2

         A E   **Bm**   **D**
And you do,   you do

        A E   **Bm**   **D**
You do,   you really do

              C Bm   **A**
Even when it's all too   clear.

Link 1

  | **F♯m⁷** | **D** | **Bm** | **Bm** |

Verse 3

     A   **F♯m⁷**
You write a little note that

     D   **Bm**
You leave on the bed.

      A   **F♯m⁷**
And spend some time dissecting

     D   **Bm**
Every word he said.

    G   **Bm**
And if he seemed a little strange

    G   **Bm** | **Bm** |
Well, baby anyone can change.

Chorus 3

         A E   **Bm**   **D**
And you do,   you do,

        A E   **Bm**   **D**
You do,   you really do.

        A E   **Bm** **D**
You do,   you do,

        A E   **Bm**   **D**
You do,   you really do,

     Bm **D**   **A**
You really do,   you really do.

Your Ghost

**Words & Music by
Kristin Hersh**

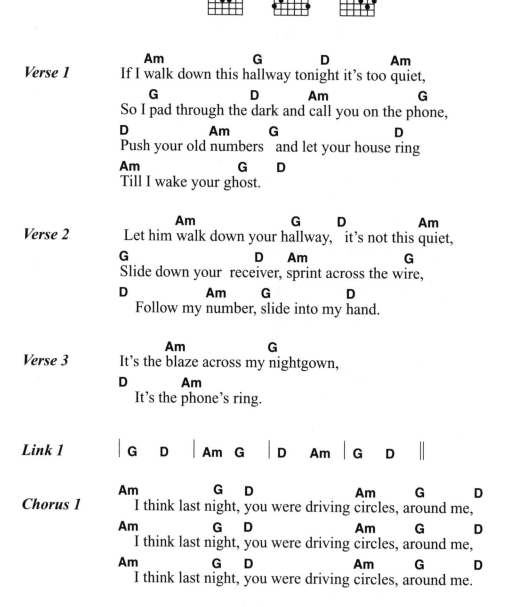

Am   G   D

Verse 1

Am   G   D   Am
If I walk down this hallway tonight it's too quiet,
   G   D   Am   G
So I pad through the dark and call you on the phone,
D   Am   G   D
Push your old numbers   and let your house ring
Am   G   D
Till I wake your ghost.

Verse 2

            Am   G   D   Am
 Let him walk down your hallway,   it's not this quiet,
G   D   Am   G
Slide down your receiver, sprint across the wire,
D   Am   G   D
   Follow my number, slide into my hand.

Verse 3

         Am   G
It's the blaze across my nightgown,
D   Am
   It's the phone's ring.

Link 1

| G   D | Am G | D   Am | G   D ||

Chorus 1

Am   G D   Am   G   D
   I think last night, you were driving circles, around me,
Am   G D   Am   G   D
   I think last night, you were driving circles, around me,
Am   G D   Am   G   D
   I think last night, you were driving circles, around me.

Verse 4

```
Am                G            D            Am
I can't drink this coffee till I put you in my closet.
G                D    Am            G
Let him shoot me down, let him call me off.
D               Am    G                 D
I take it from his whisper   you're not that tough.
```

Verse 5

```
           Am              G
It's the blaze across my nightgown,
D            Am          G
   It's the phone's ring.
```

Link 2

```
| D    Am | G    D    ‖
```

Chorus 2

```
Am              G   D              Am      G       D
   I think last night, you were driving circles, around me,
   (You were in my dream,)
Am              G   D              Am      G       D
   I think last night, you were driving circles, around me,
   (You were in my dream,)
Am              G   D              Am      G       D
   I think last night, you were driving circles, around me,
   (You were in my dream,)
Am              G   D              Am      G       D
   I think last night, you were driving circles, around me.
   (You were in my dream.)
Am              G   D              Am      G       D
   I think last night, you were driving circles, around me.
   (You were in my dream.)
```

```
| Am   G     ‖
```

You Turn Me On, I'm A Radio

Words & Music by
Joni Mitchell

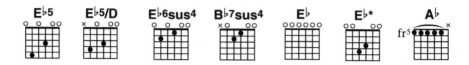

E♭5 E♭5/D E♭6sus4 B♭7sus4 E♭ E♭* A♭ fr5

Tune guitar
⑥ = E♭   ③ = G
⑤ = B♭   ② = B♭
④ = E♭   ① = E♭

Intro   ‖: E♭5 | E♭5/D | E♭6sus4 | B♭7sus4   :‖

              E♭   E♭5/D
If you're driving into town with a dark cloud above you
E♭6sus4   B♭7sus4
Dial in the number who's bound to love you, oh honey.

Verse 1

E♭* E♭ E♭* E♭ E♭6sus4
You turn me on

       E♭* E♭ E♭* E♭ E♭6sus4
I'm a ra - di - o

        E♭* E♭ E♭* E♭ E♭6sus4
I'm a country   sta - tion

        E♭* E♭ E♭* E♭   E♭6sus4
I'm a little bit   corny.

Bridge 1

       A♭
I'm a wildwood flower, waving for you
                      E♭* E♭ E♭* E♭ E♭6sus4 E♭
I'm a broadcasting tower,   waving   for you.
         E♭   B♭7sus4
And I'm sending you out this signal here,
    E♭   B♭7sus4
I hope you can pick it up loud   and clear.

Verse 2

           E♭*   E♭   E♭* E♭   E♭6sus4
I know you don't like   weak women

        E♭*   E♭ E♭*   E♭ E♭6sus4
You get bored so quick

          E♭*   E♭ E♭* E♭   E♭6sus4
And you don't like   strong women 'cause they're

E♭* E♭ E♭*   E♭   E♭6sus4
Hip to your tricks.

Bridge 2

           A♭
It's been dirty for dirty, down the line

                       E♭*   E♭ E♭* E♭
But you know I come when you whistle when you're

E♭6sus4   E♭
  Loving and kind.

E♭   B♭7sus4
If you've got too   many doubts

        E♭   B♭7sus4
If there's no good reception for me then tune me out.

Verse 3

          E♭*   E♭   E♭* E♭   E♭6sus4
'Cause honey who needs the static?

   E♭*   E♭ E♭*   E♭ E♭6sus4
It hurts the head

        E♭*   E♭ E♭* E♭   E♭6sus4
And you wind up   cracking

        E♭* E♭ E♭* E♭   E♭6sus4
And the day goes   dismal from,

Bridge 3

   A♭
  'Breakfast Barney' to the sign-off prayer

What a sorry face you get to wear.

I'm going to tell you again now if you're still listening there.

Outro

Eb   Eb/D
If you're driving into town with a dark cloud above you
Eb6sus4   Bb7sus4
Dial in the number who's bound to love you.
      Eb   Eb/D
If you're lying on the beach with the transistor going
Eb6sus4   Bb7sus4
Kick off the sand flies honey, the love's still flowing.
    Eb   Eb/D
If your head says forget it but your heart's still smoking
Eb6sus4   Bb7sus4
Call me at the station the lines are open.

Outro ‖: Eb5 | Eb5/D | Eb6sus4 | Bb7sus4 :‖

Repeat to fade